Bom dia, Espírito Santo

Priscila minha amiga amada,
este livro te fará conhecer
mais o Espírito Santo
de Deus. Que ele seja
o teu guia!
Felicidades todos os
dias!
Parabéns por mais
uma Primavera!
Beijos!
Aline
26.09.11

Bom dia, Espírito Santo

Benny Hinn

Tradução:
Manuel Buenayre

Título original
Good Morning, Holy Spirit

EDITOR RESPONSÁVEL
Omar de Souza
SUPERVISÃO EDITORIAL
Clarisse de Athayde Costa Cintra
PRODUÇÃO EDITORIAL
Fernanda Silveira
CAPA
Douglas Lucas
TRADUÇÃO
Manuel Buenayre
COPIDESQUE
Fernanda M. Pantoja
REVISÃO
Margarida Seltmann
Magda de Oliveira Carlos
PROJETO GRÁFICO E DIAGRAMAÇÃO
Trio Studio

CIP-BRASIL. CATALOGAÇÃO NA FONTE
SINDICATO NACIONAL DOS EDITORES DE LIVROS, RJ

H555b

Hinn, Benny
Bom dia, Espírito Santo / Benny Hinn; tradução Manuel Buenayre. - Rio de Janeiro: Thomas Nelson Brasil, 2010.

Tradução de: Good morning, Holy Spirit
ISBN 978-85-7860-144-7

1. Hinn, Benny. 2. Evangelistas - Estados Unidos - Biografia. 3. Igrejas Pentecostais - Estados Unidos - Clero - Biografia. 4. Espírito Santo. I. Título.

10-4654. CDD: 922.89
CDU: 929:279.125

Thomas Nelson Brasil é uma marca licenciada à Vida Melhor Editora S.A.

Rua Nova Jerusalém, 345 – Bonsucesso
Rio de Janeiro – RJ – CEP 21402-325
Tel.: (21) 3882-8200 – Fax: (21) 3882-8212 / 3882-8313
www.thomasnelson.com.br

Para a pessoa do Espírito Santo,
que é a razão da minha existência

e

Para minhas filhas, Jessica, Natasha e Eleasha,
e para meu filho, Joshua,
que, se o Senhor permitir,
levarão esta mensagem a sua geração.

Sumário

Um

"Posso realmente conhecê-lo?"

Faltavam três dias para o Natal de 1973. O sol ainda estava nascendo naquela manhã fria e nublada de Toronto.

De repente, ele estava ali. O Espírito Santo entrou em meu quarto. Ele era tão real para mim naquela manhã quanto o livro que está em suas mãos é para você agora.

Nas oito horas que se seguiram, tive uma incrível experiência com o Espírito Santo. Mudou o curso da minha vida. Lágrimas de fascinação e alegria escorreram pelo meu rosto quando abri as Escrituras e ele respondeu a minhas perguntas.

Parecia que meu quarto tinha sido elevado até o hemisfério do Céu. E eu queria ficar ali para sempre. Tinha acabado de completar vinte e um anos e essa visita foi o melhor presente de aniversário ou de Natal que já recebi.

No fim do corredor, estavam minha mãe e meu pai. Possivelmente, nunca compreenderiam o que se passava com seu

Benny. Na verdade, se soubessem o que estava acontecendo, poderia ter levado à ruptura dentro de uma família que já estava à beira de se despedaçar. Por quase dois anos — desde o dia em que entreguei minha vida a Jesus — não ocorreu praticamente nenhuma comunicação entre mim e meus pais. Foi horrível. Como filho de uma família de imigrantes de Israel, humilhei a todos por quebrar as tradições. Nada em minha vida tinha sido tão devastador.

No entanto, tudo era pura alegria no meu quarto. Sim, era indescritível. Sim, estava cheio de glória! Se alguém tivesse dito 48 horas antes o que aconteceria comigo, eu teria comentado: "De jeito nenhum." Mas a partir daquele momento o Espírito Santo tornou-se vivo em minha vida. Não era mais uma distante "terceira pessoa" da Trindade. Era real. Tinha uma personalidade.

E agora eu quero compartilhá-lo com você.

Meu amigo, se você estiver pronto para começar um relacionamento pessoal com o Espírito Santo que ultrapassa tudo que você já sonhou ser possível, continue lendo. Se não, deixe-me recomendar que feche este livro para sempre. Isso mesmo. Feche o livro! Porque as coisas que vou contar transformarão a sua vida espiritual.

Acontecerá de repente. Pode ser enquanto estiver lendo. Talvez enquanto estiver orando. Ou enquanto estiver dirigindo para o trabalho. O Espírito Santo vai responder a seu convite. Ele se tornará seu melhor amigo, seu guia, seu consolador, seu companheiro de toda a vida. E quando se encontrarem, você dirá: "Benny! Deixe-me contar o que o Espírito tem feito em minha vida!"

O poder de Deus revelado

Uma noite curta em Pittsburgh

Um amigo meu, Jim Poynter, pediu para que o acompanhasse em uma viagem de ônibus a Pittsburgh, Pensilvânia. Conheci Jim, um ministro metodista livre, na igreja que eu frequentava. O grupo ia para uma reunião com uma evangelista curadora, Kathryn Kuhlman.

Para ser honesto, eu não conhecia muita coisa sobre seu ministério. Já a tinha visto na televisão e me desapontara um pouco. Achei que falava de um jeito engraçado e tinha um visual estranho. Por isso, não estava com muitas expectativas.

Mas Jim era meu amigo e não queria decepcioná-lo.

No ônibus, eu disse: "Jim, você nunca vai imaginar o momento difícil que passei com meu pai por causa dessa viagem." Veja, depois da minha conversão, meus pais tinham feito todo o possível para evitar que eu fosse à igreja. E agora uma viagem para Pittsburgh? Era quase fora de questão, mas eles permitiram, contrariados.

Saímos de Toronto na quinta, no meio da manhã. E o que deveria ser uma viagem de sete horas demorou mais por causa de uma súbita tempestade de neve. Chegamos ao nosso hotel somente à uma da manhã.

Então, Jim falou: "Benny, precisamos acordar às cinco."

— Cinco da manhã? — perguntei. — Para quê?

Ele me contou que se não estivéssemos na porta do edifício às seis, nunca conseguiríamos um lugar.

Bem, simplesmente não conseguia acreditar. Quem já ouviu falar em ficar parado no frio antes de o sol nascer para ir à igreja? Mas ele disse que era isso que devíamos fazer.

Fazia muito frio. Às cinco, acordei e coloquei todas as peças de roupa que pude encontrar: botas, luvas, tudo. Parecia um esquimó.

Chegamos à Primeira Igreja Presbiteriana, no centro de Pittsburgh, e ainda estava escuro. Mas fiquei chocado ao ver que centenas de pessoas já estavam ali. E as portas demorariam duas horas para serem abertas.

Ser pequeno tem algumas vantagens. Comecei a me aproximar das portas — puxando Jim atrás de mim. Havia até pessoas dormindo nos degraus da entrada. Uma mulher me contou: "Eles ficaram aqui a noite toda. É assim toda semana."

Quando cheguei ali, comecei a vibrar de repente — como se alguém tivesse agarrado meu corpo e começado a me sacudir.

Pensei por um instante que o ar gelado era o culpado. Mas estava bem agasalhado, e certamente não sentia muito frio. Um tremor incontrolável tomava conta de mim.

Nunca tinha acontecido algo assim antes. E não parava. Eu estava muito constrangido para contar a Jim, mas podia sentir meus ossos vibrando. Sentia em meus joelhos. Em minha boca. *O que está acontecendo comigo?* Me perguntava. *Será o poder de Deus?* Não conseguia entender.

Correndo pela Igreja

Nesse momento, as portas estavam prestes a serem abertas e a multidão empurrava tanto que eu quase não conseguia me mexer. Mesmo assim, a vibração não parava.

Jim falou: "Benny, quando essas portas se abrirem, corra o mais rápido que puder."

— Por quê? — perguntei.

— Se não correr, vão passar por cima de você. — Ele já tinha estado ali e sabia o que esperar.

Bem, nunca pensei que entraria correndo em uma igreja, mas ali estava eu. E quando aquelas portas se abriram, pareci um velocista olímpico. Passei por todos: senhoras, jovens, todos eles. Na verdade, fui direto para a primeira fileira e tentei me sentar. Uma recepcionista me disse que a primeira fileira estava reservada. Descobri depois que a equipe da Srta. Kuhlman escolhia a dedo quem se sentaria na primeira fila. Ela era tão sensível ao Espírito que queria somente apoiadores positivos e fiéis na sua frente.

Com meu problema sério de gagueira, sabia que seria inútil discutir com a recepcionista. A segunda fileira já estava cheia, mas Jim e eu encontramos um lugar na terceira.

Faltava uma hora para o culto começar, então tirei meu casaco, minhas luvas e minhas botas. Quando relaxei, percebi que estava tremendo mais do que antes. Simplesmente não parava. As vibrações atravessavam meus braços e pernas como se eu estivesse preso a algum tipo de máquina. A experiência era estranha. Para ser honesto, estava assustado.

Enquanto o órgão tocava, tudo que podia pensar era em meu corpo tremendo. Não era uma sensação de "doença". Não era como se estivesse ficando gripado ou com algum vírus. Na verdade, quanto mais tempo aquilo continuava, mais lindo se tornava. Era uma sensação incomum que não parecia nem um pouco física.

Naquele momento, como se saísse do nada, Kathryn Kuhlman apareceu. Em um instante, a atmosfera naquele prédio se tornou eletrizante. Não sabia o que esperar. Não sentia nada ao meu redor. Nenhuma voz. Nenhum anjo celestial cantando. Nada. Tudo que sabia era que estava tremendo havia três horas.

Depois, quando os cantos começaram, me encontrei fazendo algo que nunca esperei fazer. Estava de pé. Minhas mãos estavam levantadas e havia lágrimas escorrendo pelo meu rosto enquanto cantava "How Great Thou Art".

Era como se eu tivesse explodido. As lágrimas nunca tinham escorrido de meus olhos tão rapidamente. Nem me fale em êxtase! Era um sentimento de intensa glória.

Não estava cantando do modo que normalmente cantava na igreja. Cantei com todo o meu ser. E quando chegamos às palavras: "Then sings my soul, my Savior God, to thee" [Então canta minha alma, meu Deus Salvador, para ti], cantei literalmente com a minha alma.

Estava tão perdido no Espírito daquela canção que demorei uns momentos para perceber que minha tremedeira tinha parado completamente.

Mas a atmosfera daquele culto continuou. Achei que tinha sido totalmente arrebatado. Estava fazendo uma adoração mais forte do que qualquer coisa que já tinha experimentado. Era como estar frente a frente com a pura verdade espiritual. Não sei se os outros sentiram o mesmo que eu estava sentindo.

Em minha jovem experiência cristã, Deus tinha tocado minha vida, mas nunca como me tocou naquele dia.

Como uma onda

Enquanto fiquei ali, parado, adorando ao Senhor, abri meus olhos para olhar ao redor porque, de repente, senti uma corrente de ar. E não sabia de onde vinha. Era gentil e lenta, como uma brisa.

Olhei para as janelas de vidro. Mas estavam fechadas. E muito altas para criar uma corrente assim.

A brisa incomum que eu sentia, no entanto, era mais como uma onda. Sentia como descia por um braço e subia pelo outro. Na realidade, sentia como se movia.

O que estava acontecendo? Eu teria coragem de contar para alguém o que sentia? Pensariam que eu estava ficando louco.

Por uns dez minutos — ou foi o que pareceu —, as ondas daquele vento continuaram a me lavar. E foi então que senti como se alguém tivesse enrolado meu corpo em um cobertor puro — um cobertor quente.

Kathryn começou a pregar para as pessoas, mas eu estava tão perdido no Espírito que realmente não prestei atenção. O Senhor estava mais perto de mim do que nunca.

Senti que precisava falar com o Senhor, mas tudo que conseguia sussurrar era: "Querido Jesus, por favor, tenha piedade de mim." Repeti: "Jesus, por favor, tenha piedade de mim."

Eu me sentia tão indigno!

Sentia-me como Isaías quando esteve na presença do Senhor.

> Ai de mim! Estou perdido!
> Pois sou um homem de lábios impuros
> e vivo no meio de um povo de lábios impuros;
> os meus olhos viram o Rei,

o Senhor dos Exércitos!.
(Isaías 6:5)

A mesma coisa aconteceu quando as pessoas viram o Cristo. Imediatamente viram sua própria sujeira, sua necessidade de purificação.

Foi o que aconteceu comigo. Era como se um holofote gigante estivesse me iluminando. Tudo que conseguia ver eram minhas fraquezas, meus erros e meus pecados.

Voltei a repetir: "Querido Jesus, por favor, tenha piedade de mim."

Depois ouvi uma voz que eu sabia ser do Senhor. Foi sempre tão gentil, mas era inconfundível. Ele falou para mim: "Minha misericórdia sobre você é abundante."

Minha vida de orações, até aquele ponto, era a normal de um cristão médio. Mas agora eu não estava apenas falando com o Senhor. Ele estava falando comigo. E oh, que comunhão foi aquela!

Não sabia, mas o que estava acontecendo comigo na terceira fila da Primeira Igreja Presbiteriana em Pittsburgh era somente uma antecipação do que Deus tinha planejado para o futuro.

Aquelas palavras ressoaram em meus ouvidos: "Minha misericórdia sobre você é abundante."

Eu me sentei chorando e soluçando. Não havia nada em minha vida que se comparasse com o que estava sentindo. Estava tão completo e transformado pelo Espírito que nada mais me importava. Não me importava se uma bomba nuclear acertasse Pittsburgh e o mundo todo explodisse. Naquele momento senti, como descreve a Palavra de Deus: "paz [...] que excede todo o entendimento" (Filipenses 4:7).

Jim tinha me contado sobre os milagres que aconteciam nos encontros da Srta. Kuhlman. Mas eu não tinha ideia do que estava prestes a presenciar nas três horas seguintes. Pessoas que eram surdas de repente podiam ouvir. Uma mulher se levantou de sua cadeira de rodas. Havia testemunhos de cura de tumores, artrite, dores de cabeça e muito mais. Mesmo seus críticos mais severos reconheciam as curas genuínas que aconteciam em seus encontros.

O culto foi longo, mas parecia um momento breve. Nunca tinha me sentido tão movido e tocado pelo poder de Deus antes.

Por que ela está chorando?

Enquanto o culto continuava e eu orava em silêncio, tudo parou de repente. Pensei: "Por favor, Senhor, não permita que esse encontro termine."

Olhei para cima e vi Kathryn segurando a cabeça com as mãos enquanto começava a chorar. Ela chorou e soluçou tão alto que tudo parou. A música parou. Os ajudantes ficaram congelados em suas posições.

Todo mundo olhava para ela. E eu não tinha a menor ideia de por que ela estava chorando. Nunca tinha visto um ministro fazer isso. Por que ela chorava? (Contaram-me mais tarde que ela nunca tinha feito qualquer coisa como aquela antes e membros de sua equipe se lembram desse dia até hoje.)

Continuou chorando por uns dois minutos. Depois levantou a cabeça. Lá estava ela, a poucos passos a minha frente. Os olhos estavam queimando. Ela estava viva.

Naquele instante, Kuhlman foi ousada de uma forma que eu nunca tinha visto na vida. Apontou seu dedo para frente com enorme poder e emoção — até dor. Se o demônio em pessoa estivesse ali, ela teria se livrado dele com um simples toque.

Foi um momento de incrível dimensão. Ainda chorando, olhou para a audiência e disse com muita agonia: "Por favor." Ela parecia esticar a palavra: "Poorrr favor, não entristeçam o Espírito Santo."

Ela estava implorando. Se você puder imaginar uma mãe implorando para um assassino não atirar em seu bebê, foi assim. Ela implorou e pediu.

— Por favor — ela chorava —, não entristeçam o Espírito Santo.

Até hoje posso ver seus olhos. Era como se estivessem me olhando diretamente.

E quando falou isso, dava para soltar um alfinete e ouvi-lo cair. Eu tinha medo de respirar. Não movia nenhum músculo. Estava me segurando no banco na minha frente e tentando imaginar o que aconteceria em seguida.

Depois ela falou: "Vocês não entendem? Ele é tudo que eu tenho!"

Pensei: "O que ela está falando?"

Então ela continuou seu pedido fervoroso dizendo: "Por favor! Não o entristeçam. Ele é tudo que tenho. Não machuquem aquele que eu amo!"

Nunca esquecerei essas palavras. Ainda consigo me lembrar da intensidade de sua respiração quando as disse.

Em minha igreja, o pastor falava sobre o Espírito Santo. Mas não dessa maneira. Suas referências tinham a ver com dons ou línguas ou profecia — e não com: "Ele é meu amigo mais próximo, mais pessoal, mas íntimo, mais amado." Kathryn Kuhlman estava me dizendo sobre uma pessoa que era mais real do que você ou eu.

Depois ela apontou seu longo dedo para mim e disse com grande clareza: "Ele é mais real do que qualquer coisa neste mundo!"

Preciso ter isso

Quando olhou para mim e pronunciou essas palavras, algo literalmente me agarrou por dentro. Realmente fiquei preso. Chorei e disse: "Preciso ter isso."

Agora, francamente, achei que todos naquele culto estavam se sentindo exatamente da mesma maneira. Mas Deus tem uma forma de nos tratar como indivíduos e acredito que aquele culto era só para mim.

Por favor, entendam, como um cristão novo não tinha nem como compreender o que estava acontecendo naquele culto. Mas não poderia negar a realidade e o poder que estava sentindo.

E quando o culto chegava ao fim, olhei para a evangelista e vi o que parecia uma névoa ao redor e em cima dela. No começo achei que meus olhos estavam me pregando uma peça. Mas estava lá. E seu rosto estava brilhando como uma luz atravessando a névoa.

Não acreditei em nenhum momento que Deus estivesse tentando glorificar a Srta. Kuhlman. Mas acredito que ele usou aquele culto para revelar seu poder para mim.

Quando o culto terminou, a multidão saiu, mas eu não queria me mover. Tinha vindo correndo, mas agora queria apenas me sentar e refletir sobre o que tinha acontecido.

O que sentira naquele prédio fora algo que minha vida pessoal não me oferecia. Eu sabia que a perseguição continuaria quando voltasse para minha casa.

Minha autoimagem estava praticamente destruída por causa dos meus problemas de fala. Até quando era criança, nas escolas católicas, minha gagueira tinha me isolado; eu quase não conversava com ninguém.

Mesmo depois que me tornei cristão, fiz muito poucos amigos. Como poderia conhecer novas pessoas se quase não conseguia me comunicar?

Então não queria que essa sensação encontrada em Pittsburgh me deixasse. Tudo que eu tinha na vida era Jesus. E nada mais na vida tinha muito significado. Eu não tinha nenhum futuro real. Minha família tinha praticamente virado as costas para mim. Oh, eu sabia que me amavam, mas minha decisão de servir a Cristo criou um abismo que era amplo demais.

Fiquei sentado ali. Afinal, quem quer ir para o inferno depois que foi ao Céu?

Mas não havia escolha. O ônibus estava esperando e eu precisava voltar. Parei no fundo da igreja por um último momento, pensando: O que ela quis dizer? O que estava falando quando se referiu ao Espírito Santo?

Durante todo o caminho de volta a Toronto fiquei pensando: Não sei o que ela quis dizer. Até perguntei a algumas pessoas no ônibus. Não puderam me responder porque também não tinham entendido.

Não é preciso dizer que, quando cheguei em casa, estava totalmente exausto. Pela falta de sono, pelas horas na estrada e por uma experiência espiritual que fora como uma montanha-russa emocional, meu corpo estava pronto para descansar.

Mas não conseguia dormir. Meu corpo estava cansado até os ossos, mas meu espírito ainda estava ativo como se uma cadeia infinita de vulcões estivesse explodindo dentro de mim.

Percebendo a presença de Deus

Quem está me puxando?

Enquanto estava deitado em minha cama, senti como se alguém estivesse me puxando para fora do colchão e me pondo de joelhos. Era uma sensação estranha, mas sentia que era tão forte que não podia resistir.

Lá estava eu, na escuridão daquele quarto, ajoelhado. Deus não tinha desistido de mim ainda e eu respondia a seu comando.

Sabia o que queria dizer, mas não sabia como pedir. O que queria era o que aquela ministra em Pittsburgh tinha. Pensei: Quero o que Kathryn Kuhlman possui. Queria com toda força dentro de mim. Queria muito o que ela descrevia — apesar de não entender.

Sim, eu sabia o que queria dizer, mas não sabia como dizer. Então decidi pedir da única forma que sabia — em minhas próprias e simples palavras.

Queria me dirigir ao Espírito Santo, mas nunca tinha feito isso antes. Pensei: Estou fazendo isso da forma certa? Afinal, nunca tinha falado com o Espírito Santo. Nunca pensei que ele fosse uma pessoa com quem podíamos falar. Não sabia como começar a oração, mas sabia o que estava dentro de mim. Tudo que eu queria era conhecê-lo do mesmo jeito que ela.

E foi isso que orei: "Espírito Santo. Kathryn Kuhlman diz que você é amigo dela." Continuei devagar: "Não acho que o conheço. Antes de hoje, achei que conhecia. Mas depois daquele encontro percebi realmente que não. Acho que não o conheço."

E depois, como uma criança, com minhas mãos levantadas, pedi: "Posso conhecê-lo? Posso realmente conhecê-lo?"

Eu me perguntei: Está certo o que estou dizendo? Deveria falar nesses termos com o Espírito Santo? Depois pensei: Se for honesto nisso, Deus vai me mostrar se estou certo ou errado. Se Kathryn estava errada, eu queria descobrir.

Depois que falei com o Espírito Santo, nada parecia acontecer. Comecei a me questionar: "Existe mesmo essa experiência de encontrar o Espírito Santo? Isso pode acontecer mesmo?"

Meus olhos estavam fechados. Então, como um choque elétrico, meu corpo inteiro começou a vibrar — exatamente como tinha acontecido durante as duas horas que esperei para entrar na igreja. Era a mesma tremedeira que senti por mais uma hora depois que entrei.

Tinha voltado e pensei: Oh. Está acontecendo de novo. Mas dessa vez não havia multidão. Nem roupas pesadas. Estava sozinho em meu quarto aquecido, de pijama — vibrando da cabeça aos pés.

Tinha medo de abrir os olhos. Era como se tudo que aconteceu naquele culto tivesse se concentrado em um momento. Estava tremendo, mas, ao mesmo tempo, sentia novamente que o cobertor quente do poder de Deus me envolvia.

Sentia como se tivesse sido levado ao Céu. É claro que não tinha ido, mas honestamente não acreditava que o Céu pudesse ser melhor que aquilo. Na verdade, pensava: Se abrir meus olhos, vou estar ou em Pittsburgh ou dentro de portões perolados.

Bem, depois de um tempo, acabei abrindo meus olhos e, para minha surpresa, estava bem ali no meu quarto. O mesmo chão. Os mesmos pijamas. Mas ainda estava tremendo com o poder do Espírito de Deus.

Naquela noite, quando finalmente dormi, ainda não tinha percebido o que havia começado em minha vida.

As primeiras palavras que falei

Na manhã seguinte, cedo, muito cedo, eu estava acordado. E não podia esperar para conversar com meu novo amigo.

Essas foram as primeiras palavras que saíram da minha boca: "Bom dia, Espírito Santo!"

No momento em que falei essas palavras, a atmosfera gloriosa voltou ao meu quarto. Porém, dessa vez eu não estava vibrando ou tremendo. Tudo que sentia era o envolvimento de sua presença.

No segundo em que eu disse "Bom dia, Espírito Santo", sabia que ele estava comigo no quarto. Não fui preenchido com o Espírito apenas naquela manhã, mas também era renovado cada vez que passava algum tempo orando.

O que estou falando vai *além* de falar em outro idioma. Sim, eu *realmente* falei em uma linguagem celestial, mas era muito mais do que isso. O Espírito Santo se tornou real. Tornou-se meu amigo. Tornou-se minha companhia, meu conselheiro.

A primeira coisa que fiz naquela manhã foi abrir a Bíblia. Queria ter certeza. E quando abri a Palavra, sabia que ele estava comigo como se estivesse sentado ao meu lado. Não, não vi seu rosto ou suas feições. Mas sabia onde ele estava. E comecei a conhecer sua personalidade.

Daquele momento em diante, a Bíblia tomou uma dimensão completamente nova. Eu dizia: "Espírito Santo, mostre-se para mim na Palavra." Queria saber por que ele tinha vindo e fui guiado a estas palavras: "Nós, porém, não recebemos o espírito do mundo, mas o Espírito procedente de Deus, para que entendamos as coisas que Deus nos tem dado gratuitamente" (1 Coríntios 2:12).

Quando perguntei por que ele queria ser meu amigo, levou-me às palavras de Paulo: "A graça do Senhor Jesus Cristo, o amor de Deus e a comunhão do Espírito Santo sejam com todos vocês" (2 Coríntios 13:14).

A Bíblia se tornou viva. Nunca tinha realmente entendido o impacto destas palavras: "'Não por força nem por violência, mas pelo meu Espírito', diz o Senhor dos Exércitos." (Zacarias 4:6).

Repetidas vezes, ele confirmou na Palavra o que estava fazendo na minha vida. Por mais de oito horas naquele primeiro dia, depois dia após dia, continuei conhecendo-o mais e mais.

Minha vida de oração começou a mudar. "Agora", falei, "Espírito Santo, como você conhece tão bem o Pai, me ajudaria a orar?" E quando comecei a orar, fui levado ao lugar onde, repentinamente, o Pai era mais real do que já tinha sido antes. Era como se alguém tivesse aberto uma porta e dito: "Aqui está ele."

Meu professor, meu guia

A realidade da paternidade de Deus ficou mais clara do que antes. Não era como ler um livro. Ou seguir uma fórmula — A, B, C. Era só pedir para o Espírito Santo abrir a Palavra para mim. E ele abria. "Porque todos os que são guiados pelo Espírito de Deus são filhos de Deus. Pois vocês não receberam um espírito que os escravize para novamente temerem, mas receberam o Espírito que os adota como filhos, por meio do qual clamamos: 'Aba Pai'" (Romanos 8:14,15).

Comecei a compreender tudo que Jesus disse sobre o Espírito Santo. Ele era meu conforto, meu professor, meu guia.

Entendi pela primeira vez o que Jesus quis dizer quando falou a seus discípulos: "Sigam-me". Depois, um dia, ele falou: "Não me sigam — porque aonde eu vou, vocês não podem ir." Ele continuou: "Mas o Espírito Santo, ele vai guiá-los. Ele vai liderá-los."

O que ele estava fazendo? Cristo lhes dava outro líder. Outra pessoa a seguir.

Minha busca nas Escrituras continuou, dia após dia, por semanas — até que todas as minhas perguntas foram respondidas. Em todo esse tempo eu estava buscando conhecer melhor o Espírito Santo. E essa comunhão nunca parou, até hoje. Percebi que ele estava bem aqui comigo. E toda minha vida foi transformada. Acredito que a sua também será.

Hoje, quando me levanto, repito: "Bom dia, Espírito Santo".

Dois

De Jaffa aos confins da Terra

Era dezembro de 1952 em Jaffa, Israel.

Clemence Hinn, prestes a dar à luz seu segundo filho, estava no hospital olhando uma linda paisagem pela janela de seu quarto na maternidade. As águas azul-escuras do Mediterrâneo se esticavam até o infinito. Mas o coração dessa pequena mulher de descendência armênia estava preocupado. Ela estava dividida com amargura, medo e vergonha.

À distância conseguia ver o conjunto de rochas negras no mar, as Rochas de Andrômeda. Lendas gregas afirmam que a jovem Andrômeda foi acorrentada a uma delas quando Perseu voou em seu cavalo alado, matou o monstro marinho e a salvou.

Clemence queria que alguém, de alguma maneira, aparecesse e a salvasse de outro ano de humilhação e desgraça. Era uma ortodoxa grega devota, mas não sabia muito sobre o Senhor. No entanto, naquele humilde quarto de hospital tentou fazer uma barganha com ele.

Quando ficou de pé, ao lado da janela, seus olhos se voltaram para o céu, e ela falou do coração: "Deus, tenho apenas um pedido. Se me der um garoto, eu o dedico ao senhor."

Ela repetiu isto: "Por favor, Senhor. Se me der um garoto, eu o dedico ao senhor."

Jaffa

Seis lindas rosas

O primeiro filho de Costandi e Clemence Hinn foi uma linda menina, chamada Rose. Mas na cultura intolerante do Oriente Médio — e especialmente na tradição ancestral dos Hinn — o primogênito deveria ser um menino e herdeiro.

A família de Costandi, que imigrara da Grécia para a Palestina, começou a perseguir Clemence por sua incapacidade de produzir um menino. "Afinal", repreendiam, "todas as suas cunhadas tiveram meninos." Ela sofreu zombarias e foi ridicularizada até chorar, e sentiu constrangimento e vergonha no casamento que seus pais tinham arranjado de forma tão cuidadosa.

Naquela noite, quando adormeceu, seus olhos ainda estavam molhados. E durante a noite teve um sonho de que ainda se lembra: "Vi seis rosas — seis lindas rosas em minha mão", ela contou. "E vi Jesus entrar em meu quarto. Ele veio até mim e me pediu uma delas. E eu lhe dei uma rosa."

Enquanto o sonho continuou, um jovem magro e baixo, com cabelos negros — ela se lembra de todos os traços de seu rosto —, se aproximou e a embrulhou em um cobertor quente.

Quando ela acordou, se perguntou: "O que significa esse sonho? O que pode ser?"

No dia seguinte, 3 de dezembro de 1952, eu nasci.

Nossa família acabou tendo seis meninos e duas meninas, mas minha mãe nunca esqueceu sua barganha com Deus. Mais tarde ela me contou sobre seu sonho — e que eu era a rosa que ela entregava a Jesus.

Fui batizado na Igreja Ortodoxa Grega pelo patriarca de Jerusalém, Benedictus. Na realidade, ele me deu seu nome durante a cerimônia.

Nascer na Terra Santa significava nascer em uma atmosfera em que a religião tem uma abrangência inevitavelmente grande. Com dois anos, fui mandado a uma pré-escola católica e formalmente educado por freiras — e depois por monges — durante catorze anos.

Para mim, Jaffa era uma cidade linda. Na verdade, é isso que o nome significa — linda. Jaffa em árabe, Joppa em grego antigo ou Yafo em hebraico. O significado é o mesmo em todos os idiomas.

Quando era garoto, adorava ouvir as histórias da História que me cercava. Jaffa foi fundada muito antes dos registros do tempo. É mencionada como uma cidade canaanita na lista de tributos do Faraó Thutmose III, no século XV a.C., mesmo antes de Josué ter lutado a batalha de Jericó. E é onde o rei fenício Hirão de Tiro descarregou toras de cedro para o templo do Rei Salomão.

Apesar de fascinante, a história não tinha sido gentil com a minha terra natal. Jaffa foi invadida, capturada, destruída e reconstruída muitas vezes. Simão, o Macabeu, Vespasiano, os Mamelucos, Napoleão e Allenby a invadiram.

Apenas seis anos antes de meu nascimento, Jaffa fazia parte de uma nova nação, o profético Estado de Israel. Mas a comunidade em si não era judia.

Prefeito Hinn

Meu pai foi o prefeito de Jaffa durante minha infância. Era um homem forte, quase 1,90 de altura, 110 quilos e um líder natural. Era forte em todos os sentidos — físico, mental e na determinação.

Sua família tinha vindo da Grécia para o Egito antes de se estabelecer na Palestina. Mas ser "de outro lugar" era comum. A Jaffa da minha infância era realmente uma cidade internacional.

Caminhando pela rua Raziel até a Praça da Torre, em que se localiza a Torre do Relógio do Jubileu de Abdul Hamid, a prisão de muros de pedra e a Grande Mesquita, construída em 1810, eu conseguia ouvir os locais conversando em francês, búlgaro, árabe, iídiche e outras línguas. E nos quiosques e cafés ao ar livre, podia experimentar baklava, zlabiya, falafel, sum-sum e dezenas de outras delícias.

Ali estava eu, nascido em Israel, mas não era judeu. Criado em uma cultura árabe, mas não era árabe. Estudando em uma escola católica, mas criado como ortodoxo grego.

Aprende-se com facilidade outros idiomas nessa parte do mundo. Achei que todo mundo falava três ou quatro. Árabe era falado em nossa casa, mas na escola as irmãs católicas ensinavam em francês, exceto o Antigo Testamento, que era estudado em hebraico antigo.

Durante minha infância, as centenas de milhares de pessoas de Jaffa tinham sido engolidas pela explosão populacional judaica de Tel Aviv, ao norte. Hoje, a metrópole possui o nome oficial de Tel Aviv-Jaffa. Mais de quatrocentas mil pessoas vivem na região.

Na verdade, Tel Aviv começou como uma experiência judaica, em 1909, quando sessenta famílias compraram 32 acres de dunas de areia ao norte de Jaffa e marcharam para o local. Estavam cansados das condições difíceis e dos ruidosos bairros árabes onde viviam. A expansão continuou até Tel Aviv se tornar a maior cidade de Israel.

Apesar de meu pai não ser judeu, os líderes israelenses confiavam nele. E estavam felizes por terem alguém em Jaffa que pudesse se relacionar com uma comunidade tão internacional. Estávamos orgulhosos de seu círculo de amigos, que incluía muitos líderes nacionais. Ele foi convidado a ser embaixador de Israel em outros países, mas preferiu ficar em Jaffa.

Porém, tinha pouco tempo para a família. Na verdade, não posso realmente dizer que conhecia meu pai naquela época. Parecia que estava sempre participando de uma atividade oficial ou de uma reunião importante.

Não era uma pessoa extrovertida, apenas rígida — e raramente demonstrava qualquer sinal físico de afeição. (Minha mãe, no entanto, supria essa falta.) Novamente, parte disso era cultural. Homens eram homens!

Vivíamos confortavelmente. A posição de papai no governo nos permitia ter uma casa no subúrbio. Era uma casa maravilhosa cercada por um muro com vidro no alto por segurança. Minha mãe era uma dona de casa em todos os sentidos da palavra; cuidar do bando de pequenos Hinns era mais do que um emprego de tempo integral.

Um casulo católico

Com a continuidade da minha educação, considerava-me um católico. O processo começou muito cedo. A pré-escola que frequentei era, na verdade, mais como um convento. Missas eram celebradas regularmente. Meus pais não protestavam porque o ensino na escola católica particular era considerado o melhor disponível.

Nos dias de semana, estudava com as freiras e, nos domingos, ia à igreja ortodoxa grega com mamãe e papai. Mas isso não era considerado um grande problema na poliglota Jaffa. Lealdade a uma igreja em particular não parecia tão importante.

Eu era católico? Totalmente. O catolicismo era a minha vida de oração. Ocupava meu tempo e atenção cinco dias por semana. Tornou-se minha mentalidade. Praticamente vivia em um convento e naquele casulo me tornei isolado do mundo.

Também estava separado do mundo de uma forma infeliz. Desde o começo da minha infância, sofri com uma severa gagueira. A menor quantidade de pressão social ou nervosismo a disparava e era quase insuportável. Tinha dificuldade em fazer amigos. Algumas crianças zombavam de mim — outras simplesmente mantinham-se distantes.

Eu sabia muito pouco das coisas do mundo — somente o que meus professores queriam que eu soubesse. Mas era um especialista na vida católica. Com a continuidade dos estudos, frequentei o College de Frere (Colégio dos Irmãos) e fui educado por monges.

Mesmo sendo um garotinho, era extremamente religioso. Orava e orava — provavelmente mais do que alguns cristãos oram hoje. Mas tudo que eu sabia era orar a Ave-Maria, o Credo, o Pai-Nosso e outras orações prescritas.

Era raro falar de verdade com o Senhor. Quando tinha algum pedido específico, eu mencionava. Caso contrário, minha vida de oração era muito organizada. Muito rotineira.

A máxima parecia ser: "Você deve sentir dor ao orar." E isso era fácil. Não havia praticamente nenhum outro lugar para ajoelhar exceto nas pedras brancas de Jerusalém, que estavam por todos os lados. A maioria das casas era feita desse material. E as escolas que eu frequentava não tinham carpete, apenas o chão de pedra branca.

Acabei por acreditar que se você não sofresse com suas súplicas, o Senhor não o ouviria, que o sofrimento era a melhor forma de obter o favor de Deus.

Embora praticamente nenhuma espiritualidade acompanhasse o ensino, ainda estimo muito a base bíblica que recebi. Muitas vezes penso: *Quantas crianças aprenderam o Antigo Testamento em hebraico?* E nossas viagens ao campo fizeram literalmente com que a Palavra de Deus ganhasse vida.

Uma vez viajamos ao Negev, onde chegamos perto dos poços que Abraão cavara e aprendemos sobre a vida dele. Essa experiência vai ficar comigo para sempre.

Sua túnica era a mais branca que existe

Muitas vezes em minha vida Deus falou comigo por meio de visões. Durante meus anos em Jaffa, aconteceu somente uma vez, quando eu era apenas um menino de onze anos.

Realmente acredito que foi nesse momento que Deus começou a participar da minha vida. Posso me lembrar da visão como se tivesse acontecido ontem. Vi Jesus entrar em meu quarto. Estava usando uma túnica que era a mais branca possível e um manto vermelho escuro ao redor da túnica.

Vi seu cabelo. Olhei em seus olhos. Vi as unhas em suas mãos. Vi tudo.

Você deve entender que eu não conhecia Jesus. Não tinha pedido a Cristo que entrasse em meu coração. Mas no momento em que o vi, eu o reconheci. Sabia que era o Senhor.

Quando aconteceu, estava sonolento, mas de repente meu pequeno corpo foi tomado por uma incrível sensação que somente pode ser descrita como "elétrica". Parecia que alguém tinha me ligado a uma tomada. Senti um formigamento como se agulhas — um milhão delas — estivessem percorrendo meu corpo.

E então o Senhor parou diante de mim, enquanto eu dormia profundamente. Ele olhou diretamente para mim com os olhos mais lindos do mundo. Sorriu, e seus braços se abriram. Podia sentir sua presença. Era maravilhoso e nunca vou me esquecer.

O Senhor não me falou nada. Apenas me olhou. E depois desapareceu.

Acordei imediatamente. Naquele momento, quase não conseguia entender o que estava acontecendo, mas não era um sonho. Esse tipo de sensação não acontece em um sonho. Deus me permitiu experimentar uma visão que criaria uma impressão indelével em minha jovem vida.

Quando acordei, a sensação maravilhosa ainda estava lá. Abri meus olhos e olhei tudo ao redor, e essa sensação intensa e poderosa ainda estava em mim. Senti-me totalmente paralisado. Não conseguia mover um músculo. Nem piscar um olho. Estava completamente congelado. Mas eu estava no controle. Essa sensação incomum tomou conta de mim — mas não me dominou.

Na verdade, senti que podia dizer: "Não, eu não quero isso", e a experiência teria acabado. Mas não disse nada. Enquanto estava deitado ali, acordado, a sensação ficou comigo, depois desapareceu lentamente.

Pela manhã, contei a minha mãe sobre a experiência, e ela ainda se lembra de suas palavras. Falou: "Você deve ser um santo, então."

Coisas assim não aconteciam com as pessoas em Jaffa, independentemente de serem católicas ou ortodoxas gregas. É claro, eu certamente não era "santo", mas minha mãe acreditava que, se Jesus veio até mim, deve ter me escolhido para um chamado maior.

Enquanto Deus estava entrando em minha vida, outros fatores estavam atuando e mudariam para sempre o futuro da nossa família.

Os confins da Terra

De Gaza às Colinas de Golã

Vivendo em Israel durante a década de 1960, pude sentir o aumento da tensão política. Quase diariamente ocorriam ataques árabes contra Israel, nas fronteiras com o Egito, com a Jordânia e com a Síria. E o exército israelense retaliava regularmente com seus próprios ataques.

Em maio de 1967, Israel e os três países árabes alertaram suas forças armadas para uma possível guerra. Por exigência do

Egito, as tropas das Nações Unidas saíram da Faixa de Gaza e da Península do Sinai.

Então, em 5 de junho de 1967, aviões israelenses atacaram as bases aéreas no Egito, na Jordânia e na Síria. Foi a chamada Guerra dos Seis Dias. Em menos de uma semana, os israelenses destruíram quase completamente as forças aéreas árabes. As tropas israelenses ocuparam a Faixa de Gaza, a Península do Sinai, a Cisjordânia e as colinas sírias de Golan. Israel logo controlou o território árabe, totalizando mais de três vezes a sua própria extensão.

Nunca vou esquecer o dia, no começo de 1968, em que meu pai juntou a família e nos contou que estava fazendo planos para emigrarmos. Ele falou: "Por favor, não discutam isso com ninguém porque poderá haver alguns problemas com nossos vistos de saída."

No começo, o plano era se mudar para a Bélgica. Papai tinha alguns parentes lá, e a ideia de ir para um país de língua francesa parecia estimulante. Afinal, era a língua que eu falava na escola.

Mas, uma noite, um adido da embaixada canadense foi a nossa casa e nos mostrou um pequeno filme da vida no Canadá. Toronto parecia uma cidade próspera. Papai tinha dois irmãos que viviam lá, mas duvidávamos que eles estivessem financeiramente qualificados para serem nossos patrocinadores oficiais.

As perguntas sobre nossa ida pareciam crescer diariamente. Houve um momento em que meu pai nos contou que talvez não pudéssemos sair do país antes de cinco anos.

Eu barganhei com Deus

A essa altura, estávamos todos tão ansiosos para ir embora que me ajoelhei naquelas pedras de Jerusalém e fiz uma promessa a

Deus. "Senhor", orei, "se você nos tirar daqui, eu ofereço a maior jarra de azeite de oliva que conseguir encontrar". E acrescentei: "Quando chegarmos a Toronto, levo a uma igreja e ofereço ao Senhor em ação de graças."

Em minha formação, fazer promessas a Deus não era incomum. E azeite de oliva era um bem precioso. Então fiz a promessa.

Algumas semanas depois, um jovem da embaixada canadense ligou para meu pai para dizer: "Senhor Hinn, já está tudo resolvido — não me pergunte como. Todos os seus papéis estão em ordem e o senhor pode ir embora quando quiser."

Não demorou muito. Vendemos quase todos os nossos bens e nos preparamos para uma nova vida na América do Norte.

Durante os últimos dias na Terra Santa, tive uma sensação forte de que algo importante estava prestes a acontecer. Sabia que estava deixando uma cidade especial, mas sentia que o melhor ainda estava por vir.

Foi do porto da antiga cidade de Jope — minha Jaffa — que Jonas partiu. E o resultado foi a salvação de Nínive.

E quantas vezes subi até a Cidadela, o monte alto com vista para o porto! Perto do farol há uma igreja franciscana construída em 1654. Próximo a eles está o local da casa de Simão, o Curtidor, onde o apóstolo Pedro ficou por algum tempo e teve uma visão que mudou o mundo. Ao ouvir a voz de Deus dizendo para ele receber tanto os gentios quanto os judeus na igreja, Pedro respondeu: "Agora percebo verdadeiramente que Deus não trata as pessoas com parcialidade, mas de todas as nações aceita todo aquele que o teme e faz o que é justo" (Atos 10:34,35).

Daquele momento em diante, a mensagem de Cristo se espalhou de Jope para a Cesareia e até os confins da Terra — tocando toda a humanidade.

Enquanto íamos de carro pela estrada Haganah até o aeroporto Lod, eu me perguntava: *Será que voltarei a ver esse lugar?* Pensei nas freiras católicas que tão amorosamente tinham me educado. Teria visto seus rostos pela última vez?

Pela janela do avião, dei uma última olhada para Tel Aviv, uma enorme extensão de cubos brancos e cinzas. Atrás de mim havia quilômetros de laranjais verdes. As colinas da Judeia brilhavam suavemente ao fundo.

E quando estávamos sobre as águas do Mediterrâneo, olhei para baixo e disse um último adeus a Jaffa. Havia um nó em minha garganta. Eu tinha catorze anos, e era o único lar que tinha conhecido.

Sorvete no quiosque

A chegada da família Hinn em Toronto, em julho de 1968, foi um evento não anunciado. E era assim que meu pai queria. Nenhum comitê de boas-vindas nos esperava. E ele não tinha nenhuma oferta de trabalho.

Chegamos com as roupas do corpo, alguns bens nas malas e um pouco de dinheiro do que tínhamos vendido em Jaffa. Era o suficiente para um curto período de tempo.

Nossa nova vida começou em um apartamento alugado.

Que choque desembarcar, de repente, em uma cultura "estrangeira". Eu podia gaguejar em diversas línguas, mas inglês não era uma delas. "Um, dois, três" era o máximo que conseguia. Mas papai tinha estudado inglês o suficiente para preencher uma proposta de emprego. E funcionou. Por mais incrível que pareça, ele aceitou o desafio de se tornar vendedor de seguros.

Não sei se era o peso de criar uma família grande, ou sua confiança natural ao lidar com pessoas, mas meu pai se tornou um sucesso imediato em sua nova profissão. E poucos meses depois, nos mudamos para nossa própria casa. Ficamos muito orgulhosos dela.

A vida mudou rapidamente para mim. Em vez de ir a uma escola católica particular, ia à pública — a Escola Secundária Georges Vanier. E como a maioria das crianças da escola tinha empregos de meio-período, eu também quis.

Vivíamos no distrito de North York, em Toronto, e perto havia aberto um shopping center novo, o Fairview Mall. Eu me candidatei a um trabalho em um pequeno quiosque que vendia hambúrgueres e sorvete. Apesar de não ter nenhuma experiência anterior, eles me contrataram. E todo dia, depois da aula, eu ia para lá.

Um sábado, no entanto, entrei em um mercado e perguntei ao gerente: "Onde posso encontrar azeite de oliva? Preciso do maior jarro ou recipiente que você tiver." Claro que ele encontrou um grande.

No dia seguinte, entrei orgulhoso na igreja ortodoxa grega e cumpri minha promessa a Deus. Coloquei o jarro na frente do altar e disse calmamente: "Obrigado, Senhor. Obrigado por nos trazer em segurança para nossa nova casa."

Meu coração estava tão cheio quanto aquela jarra de azeite.

No quiosque, fazia meu trabalho. Por causa da minha gagueira, não conversava muito, mas me tornei craque em servir o sorvete naquelas casquinhas. Trabalhava com um colega chamado Bob.

Bob ficou louco?

Nunca vou esquecer o dia em 1970 quando fui trabalhar e descobri que Bob tinha feito algo muito estranho. Havia colado pequenos pedaços de papel com versículos das Escrituras por toda a parede do pequeno quiosque. Achei que ele tinha enlouquecido.

Sabia que ele era cristão — tinha me contado isso. Mas não era um pouco demais? Pensei comigo mesmo: "Por que está fazendo isso? É para mim? Provavelmente conheço a Bíblia melhor do que ele."

Finalmente, eu perguntei: "Qual é a ideia com esses pedaços de papel?" Imediatamente, ele começou a me dar um testemunho. Achei que nunca pararia. E quando terminou, eu estava determinado a ficar o mais distante possível daquele doido.

Por muito tempo tentei evitá-lo. Mas era quase impossível. Afinal, tínhamos de trabalhar juntos. Ele sempre voltava ao tema da religião. Mas era mais do que isso. Ele queria falar sobre "renascer", algo que não estava em meu vocabulário limitado — nem na minha visão das Escrituras.

Bob finalmente saiu do emprego no quiosque, mas muitos de seus amigos estavam na minha escola. E nos dois anos seguintes, fiz o máximo para evitá-los. Pensava: *São um bando de esquisitos.* Pareciam doidos. Falavam como doidos. Eram exatamente o oposto das freiras que me educaram.

Durante meu último ano na Georges Vanier, pela segunda vez em minha vida, tive um encontro com o Senhor. Ele entrou no meu quarto e me visitou — dessa vez na forma de um sonho inesquecível.

Em Jaffa, quando eu tinha onze anos, a visão de Jesus parado na minha frente tinha deixado uma impressão indelével. Mas agora, em Toronto, eu não estava em dia com meus estudos das Escrituras. Oh, ainda ia à igreja. Mas o que estava para acontecer comigo veio de repente. Foi totalmente inesperado e fiquei espantado com a experiência.

Deixe-me contar exatamente o que aconteceu em meu quarto naquela noite fria de fevereiro de 1972.

Enquanto o sonho se desenrolava, eu descia uma escada longa e escura. Era tão íngreme que pensei que fosse cair. E seguia para um abismo profundo e infinito.

Estava preso por uma corrente a um prisioneiro na minha frente e a outro atrás de mim. Estava vestido com as roupas de um condenado. Havia correntes nos meus pés e ao redor dos meus pulsos. Até onde podia ver, na minha frente e atrás de mim, havia uma linha infinita de cativos.

Depois, na névoa sinistra daquele poço mal iluminado, vi dezenas de pessoas pequenas andando ao meu redor. Pareciam duendes com orelhas em um formato estranho. Não conseguia ver seus rostos, e suas formas eram pouco visíveis. Mas, obviamente, nós estávamos sendo puxados para baixo na escada por eles, como uma manada de gado a caminho do matadouro — ou ainda pior.

De repente, vindo do nada, surgiu um anjo do Senhor. Oh, foi algo maravilhoso de ver. O ser celestial flutuava acima de mim, a poucos passos de distância.

Nunca na minha vida tinha visto algo assim — nem mesmo em um sonho. Um anjo brilhante e lindo no meio de um buraco escuro e assustador.

Quando olhei de novo, o anjo mandou que eu me aproximasse. Depois olhou dentro dos meus olhos e me chamou.

Meus olhos estavam fixos nele e comecei a caminhar em sua direção. Instantaneamente, as correntes se soltaram de meus pés e de minhas mãos. Não estava mais preso a meus colegas prisioneiros.

Às pressas, o anjo me levou por uma porta aberta, e no momento em que entrei na luz, o ser celestial me pegou pela mão e me deixou na estrada Don Mills — bem na esquina da escola George Vanier. Ele me deixou a centímetros do muro da escola, ao lado de uma janela.

Um segundo depois, o anjo tinha desaparecido. Acordei cedo e corri para a escola, a fim de estudar na biblioteca antes de as aulas começarem.

"Não conseguia nem piscar"

Quando me sentei ali, sem sequer pensar no sonho, um pequeno grupo de estudantes foi até minha mesa. Eu os reconheci imediatamente. Eram aqueles que estavam me incomodando com toda essa história de falar de "Jesus".

Eles me convidaram para participar de sua reunião de oração matinal. A sala ficava ao lado da biblioteca. Pensei: "Bem, vou aceitar para que parem de me amolar. Uma reuniãozinha de oração não pode me fazer mal."

Respondi: "Está bem", e eles me levaram até a sala. Era um grupo pequeno, só doze ou quinze garotos. E minha cadeira estava bem no meio.

De repente, todo o grupo levantou as mãos e começou a orar em algum estranho idioma estrangeiro. Nem fechei meus olhos. Mal podia piscar. Eram estudantes de dezessete, dezoito, dezenove anos — gente que eu conhecia das aulas — louvando a Deus com sons ininteligíveis.

Nunca tinha ouvido sobre falar em línguas e fiquei pasmo. Pensar que eu, Benny, estava ali, em uma escola pública, de propriedade pública, sentado no meio de um bando de fanáticos, era mais do que eu conseguia entender.

Eu não orei. Só fiquei olhando.

O que aconteceu em seguida foi mais do que poderia ter imaginado. Fui surpreendido por um súbito desejo de orar. Mas realmente não sabia o que falar. "Ave Maria" parecia inadequado para o que eu estava sentindo. Nunca aprendera a "oração do pecador" — em nenhuma de minhas aulas de religião. Tudo que podia me lembrar de meus encontros com o "povo de Jesus" era a frase: "Você precisa encontrar Jesus." Essas palavras me pareciam incoerentes porque eu achava que o conhecia.

Foi um momento estranho. Ninguém estava orando comigo ou mesmo *por* mim. Mas eu estava cercado pela atmosfera espiritual mais intensa que já havia sentido. Eu era um pecador? Achava que não. Era apenas um bom rapaz católico, que orava todas as noites e confessava meus pecados, mesmo que não precisasse.

Mas, naquele momento, fechei meus olhos e disse três palavras que mudaram minha vida para sempre. Em voz alta, falei: "Senhor Jesus, volte."

Não sei por que disse isso, mas foi tudo que saiu da minha boca. Repeti essas palavras várias vezes. "Senhor Jesus, volte. Senhor Jesus, volte."

Achava que ele tinha deixado minha casa ou abandonado minha vida? Realmente não sabia. Mas no momento em que pronunciei essas palavras, uma sensação tomou conta de mim — levou-me de volta ao formigamento que senti aos onze anos. Era menos intenso, mas conseguia sentir a tensão com a mesma força. Atravessou-me inteiro.

O que eu realmente senti, no entanto, foi que essa explosão de energia estava me purificando — instantaneamente, de dentro para fora. Senti-me absolutamente limpo, imaculado e puro.

De repente, vi Jesus com meus próprios olhos. Aconteceu em um momento. Lá estava ele. Jesus.

Cinco minutos para as oito

Os estudantes ao meu redor não podiam saber o que estava acontecendo na minha vida. Estavam todos orando. Depois, um por um, começaram a sair da sala e a ir para suas aulas.

Eram cinco para as oito da manhã. Nesse momento, eu estava apenas sentado ali, chorando. Não sabia o que fazer ou o que falar.

Naquele momento, não entendi, mas Jesus tornou-se tão real para mim quanto o chão embaixo de meus pés. Não orei realmente, exceto por aquelas três palavras. Mas eu sabia, sem dúvida nenhuma, que algo extraordinário tinha acontecido naquela manhã de fevereiro.

Estava quase atrasado para a aula de história. Era uma das minhas matérias favoritas; estávamos estudando a Revolução Chinesa. Mas eu não conseguia sequer ouvir o professor. Não me lembro de nada do que foi dito. A sensação que começou aquela manhã não me deixaria. Sempre que eu fechava os olhos, lá estava ele — Jesus. E quando abria os olhos, ele ainda estava ali. A imagem do rosto do Senhor não me abandonava.

Passei o dia todo enxugando as lágrimas dos meus olhos. E a única coisa que conseguia falar era: "Jesus, amo você... Jesus, amo você."

Quando saí pela porta da escola e caminhei pela calçada até a esquina, olhei para a janela da biblioteca. E as peças começaram a se encaixar.

O anjo. O sonho. Tudo se tornou real novamente.

O que Deus estava tentando me falar?

O que estava acontecendo com Benny?

Três

"Tradição, tradição"

Entrei no meu quarto e, como se estivesse magnetizado, fui atraído até aquela grande Bíblia negra. Era a única Bíblia em nossa casa. Mamãe e papai nem tinham uma. Eu não tinha ideia de onde tinha vindo, mas era minha desde que me lembro.

As páginas mal tinham sido abertas desde nossa chegada ao Canadá, mas agora eu orava: "Senhor, precisa me mostrar o que aconteceu comigo hoje." Abri a Escritura e comecei a devorar como um faminto que tivesse recebido um pedaço de pão.

O Espírito Santo tornou-se meu professor. Não sabia na época, mas foi exatamente o que, de forma milagrosa, começou a acontecer. Vejam, os jovens na reunião de oração não disseram: "Agora, isso é o que diz a Bíblia." Não me disseram nada. Na verdade, nem tinham ideia do que tinha acontecido durante as últimas vinte e quatro horas. E, é claro, não contei nada a meus pais.

Comecei lendo os Evangelhos. Peguei-me dizendo em voz alta: "Jesus, entre em meu coração. Por favor, Senhor Jesus, entre em meu coração."

Em toda a Escritura, vi o plano de salvação se mostrando para mim. Era como se nunca tivesse lido a Bíblia antes. Oh, meu amigo, ela estava viva. As palavras borbulhavam de uma fonte e eu bebia livremente.

Finalmente, às três ou quatro da manhã, com uma paz silenciosa que nunca tinha conhecido antes, adormeci.

Pertencer

No dia seguinte, na escola, procurei aqueles "fanáticos" e disse: "Ei, gostaria que me levassem até sua igreja." Eles me contaram sobre um culto semanal do qual participavam e se ofereceram para me levar, uns dois dias depois.

Naquela quinta à noite, acabei nas "Catacumbas". Era assim que eles chamavam a igreja. O culto era como aquela reunião de oração matinal na escola — as pessoas ficavam com as mãos levantadas, louvando ao Senhor. Dessa vez, no entanto, eu os acompanhei.

"Jeová Jireh, meu provedor, sua graça é suficiente para mim", eles cantavam sem parar. Gostei daquela música desde a primeira vez que a ouvi e adorei ainda mais quando descobri que tinha sido escrita pela mulher do pastor, Merla Watson. Seu marido, Merv, era o pastor desse incomum rebanho.

As Catacumbas não eram uma igreja típica. As pessoas que frequentavam eram simplesmente uma multidão exuberante de cristãos que se encontrava toda noite de quinta na Catedral de São Paulo, uma igreja anglicana no centro de Toronto.

Eram os dias do "Movimento de Jesus", quando os chamados "hippies" eram salvos mais rapidamente do que conseguiam cortar o cabelo. Pensando nisso, eu mesmo não via a cadeira de um barbeiro há muito tempo.

Olhei ao redor. O lugar estava cheio de jovens como eu. Deviam ter visto aquilo. Estavam pulando, dançando e alegremente fazendo barulho para o Senhor. Era difícil para mim acreditar que um lugar como aquele realmente existisse. Mas de alguma forma, a partir daquela primeira noite, senti que pertencia ao grupo.

"Suba ali"

No término da reunião, Merv Watson disse: "Deem um passo à frente todos aqueles que quiserem fazer uma confissão pública de nosso pecado. Vamos orar com vocês enquanto pedem que Cristo entre em seus corações."

Comecei a tremer. Mas pensei: *Não acho que eu deva fazer isso porque já estou salvo.* Eu sabia que o Senhor havia tomado conta da minha vida às cinco para as oito da manhã de segunda-feira. E já era quinta.

Você adivinhou. Segundos depois eu me peguei caminhando por aquele corredor o mais rápido que conseguia. Não sei bem porque estava fazendo isso. Mas algo dentro de mim estava mandando: "Vá até lá."

Foi naquele momento, em um culto carismático, em uma igreja anglicana, que esse bom católico de um lar ortodoxo grego fez uma confissão pública de sua aceitação de Cristo. "Jesus", eu disse, "estou pedindo que seja o Senhor da minha vida."

A Terra Santa não podia se comparar com isso. Era muito melhor estar onde Jesus *estava*, do que onde ele costumava estar.

Aquela noite, quando cheguei em casa, estava tão preenchido com a presença do Senhor que decidi contar a minha mãe o que tinha acontecido. (Não tive coragem de contar a meu pai.)

"Mamãe, tenho de compartilhar algo com você", sussurrei. "Fui salvo!"

No primeiro instante, seu queixo caiu. Ela olhou e falou secamente: "Salvo, do quê?"

"Confie em mim", falei. "Você vai entender."

Na manhã de sexta, e durante todo o dia — na escola, no quiosque, onde eu fosse —, uma imagem ficava piscando na minha frente. Eu me via pregando. Era impensável, mas não conseguia apagar a imagem. Via multidões de pessoas. E lá estava eu, vestindo terno, meu cabelo aparado e arrumado, pregando vigorosamente.

Naquele dia, encontrei Bob, meu amigo "esquisito" que tinha enfeitado as paredes do quiosque com as Escrituras. Contei um pouco do que tinha acontecido naquela semana. E lhe disse que me via pregando.

— Bob — falei —, foi assim o dia todo. Não consigo me livrar da imagem que me mostra falando em enormes cultos ao ar livre, em estádios, em igrejas, em teatros. — Começando a gaguejar, lhe disse: — Vejo pessoas até onde a vista alcança! Devo estar ficando louco! O que você acha que isso significa?

— Só pode ser uma coisa — ele me contou. — Deus o está preparando para um grande ministério. Acho isso maravilhoso.

Expulso

Não recebi esse tipo de encorajamento em casa. É claro, eu realmente não conseguia contar a eles o que o Senhor estava fazendo.

A situação era terrível.

Humilhação e vergonha

Toda minha família começou a me perturbar e ridicularizar. Foi horrível. Eu esperava isso do meu pai, mas não da minha mãe. Durante meu crescimento, ela tinha mostrado tanto carinho. Da mesma forma, meus irmãos e irmãs. Mas naquele momento eles me tratavam com desprezo — como um intruso que não pertencia àquele lugar.

"Tradição! Tradição!" diz a canção no musical *Um violinista no telhado*. Se um oriental quebra a tradição, comete um pecado imperdoável. Duvido que o Ocidente consiga entender isso seriamente. Traz humilhação para sua família. E isso não pode ser perdoado.

A família me disse: "Benny, você está arruinando o nome da nossa família." Eles imploraram para que eu não desonrasse a reputação deles. Meu pai tinha sido prefeito — e ele me lembrava disso. O "nome" da família estava em jogo.

Por favor, entendam-me quando digo isso, mas os ortodoxos gregos, e as pessoas de outras "altas" ordens da igreja oriental são, talvez, os mais difíceis para se aproximarem de um cristianismo "pessoal".

Quando me tornei um cristão renascido, foi algo vergonhoso para eles. Por quê? Porque acreditam que são os *verdadeiros* cristãos.

E possuem a documentação histórica para provar. São cristãos há mais tempo que quaisquer outros.

Mas aqui está o problema e eu cresci com ele. Sua fé é grande em forma, ritual e dogma, mas pequena em unção de Deus. Falta o poder. E, como resultado, eles praticamente não possuem nenhuma compreensão do que significa ouvir ao Senhor ou ser "guiado pelo Espírito".

Ficou óbvio que, se eu quisesse permanecer em minha própria casa, deveria parar de falar sobre Cristo.

No entanto, nada poderia apagar o fogo da minha nova fé. Eu era como uma brasa ardente que nunca parava de queimar.

De manhã cedo, minha grande Bíblia estava aberta. O Espírito Santo continuava a revelar a Palavra. Mas isso não era suficiente. Cada noite que eu conseguia "fugir" de casa, ia para um culto na igreja, para o grupo de jovens ou para reunião de oração. E nas noites de quinta-feira, estava de volta às Catacumbas.

Nunca consegui apagar da minha memória o dia em que mencionei "Jesus" em nossa casa. Meu pai veio até mim e me deu um tapa na cara. Senti a dor. Não, dessa vez não era a pedra de Jerusalém. Era um tipo diferente de dor. Mas eu a sentia por minha família. Amava-os tanto e agonizava por sua salvação.

Na verdade, era minha culpa. Meu pai tinha me avisado: "Mencione o nome de Jesus mais uma vez e vai se arrepender." Ele resmungou com ódio quando ameaçou me expulsar de casa.

Comecei a contar para minha irmã mais nova, Mary, sobre o Senhor. De alguma forma, meu pai descobriu e sua raiva explodiu de novo. Ele me proibiu de conversar com ela sobre coisas espirituais.

Hora do psiquiatra

Até meus irmãos me perseguiram. Eles me chamavam de todos os nomes debaixo do Céu — e alguns debaixo da Terra. Isso durou um longo tempo. No meu quarto, eu orava: "Senhor, isso vai acabar? Será que eles o conhecerão?"

Chegou a um ponto no qual não havia nenhum membro da família com quem pudesse conversar. Não precisei olhar a definição de *ostracismo*.

Trouxeram minha avó de Israel só para me dizer que eu estava louco.

—Você é um constrangimento para o nome da família — ela falou. — Não entende a vergonha que está causando?

Meu pai marcou uma consulta para mim com um psiquiatra. Era evidente que papai achava que eu tinha ficado louco. E qual foi a conclusão do médico? —Talvez seu filho esteja passando por algo. Ele vai sair dessa.

Sua tática seguinte foi conseguir um emprego que me deixaria tão ocupado que eu não teria tempo para esse "Jesus". Foi até um de seus amigos e disse:

— Gostaria que você oferecesse um emprego a meu filho, Benny.

Papai me levou até o local e esperou no carro enquanto eu entrava. O homem era uma das pessoas mais rudes, duras e más que já encontrei. Era óbvio que não poderia trabalhar para alguém assim.

Voltei para o carro e disse:

— Pai, nunca poderia tê-lo como chefe.

Realmente senti pena de meu pai naquele dia. Estava ficando sem perspectivas. Ele disse:

— Benny, o que você quer que eu faça por você? Diga-me o que é. Farei qualquer coisa que pedir se simplesmente deixar esse seu Jesus.

— Pai — falei —, você pode me pedir qualquer coisa, mas eu morreria antes de abrir mão do que descobri.

Foi uma cena feia. Ele se transformou de um pai amigável em um estranho sarcástico. Tudo que tinha a oferecer era outra torrente de ódio e ataques verbais.

No ano seguinte — talvez os dois seguintes — meu pai e eu quase não conversamos. Na mesa de jantar, ele não me olhava. Eu era totalmente ignorado. Finalmente, ficou insuportável até mesmo sentar e assistir ao noticiário da noite com minha família.

Então o que eu fazia? Ficava no meu quarto. Mas, pensando nisso agora, posso ver que o Senhor sabia exatamente o que estava fazendo. Passei centenas de horas — milhares — sozinho com Deus. Minha Bíblia estava sempre aberta. Eu orava. Estudava. Louvava. Eu me alimentava com o maná celestial que iria necessitar nos anos seguintes.

"Devo obedecer ao Senhor"

Ir à igreja era um problema gigantesco. Eu queria ir, mas meu pai dizia: "De jeito nenhum!", muitas vezes. Na verdade, essas eram praticamente as únicas conversas que tínhamos — argumentos sobre a casa do Senhor.

Os orientais consideram impensável desobedecer aos pais. Mas agora eu tinha quase vinte e um anos. E lembro-me nitidamente da noite em que reuni toda minha ousadia para falar com meu pai: "Vou obedecê-lo em tudo que você quiser, mas na questão de ir à igreja, não vou obedecê-lo. *Devo obedecer ao Senhor!*"

Ele ficou espantado. Parecia que alguém tinha dado um tiro nele. E parecia ficar ainda mais bravo.

Por respeito, fazia o melhor para ser obediente. Perguntava a ele:

— Posso ir à reunião hoje à noite? — ele dizia não e eu ia para o meu quarto e orava:

— Por favor, Senhor, por favor, mude sua cabeça.

Depois descia e pedia novamente:

— Posso ir?

— Não — ele grunhia. E eu voltava.

Pouco a pouco, ele começou a desistir. Sabia que estava perdendo a batalha. As Catacumbas alugaram outro prédio para cultos no domingo e eu sempre ia para lá. Os estudos da Bíblia eram na terça e na sexta, e havia uma reunião de jovens no sábado à noite. Essas reuniões tornaram-se minha vida.

Nos dois anos seguintes à minha conversão, meu crescimento espiritual foi como um foguete entrando em órbita. No final de 1973, Merv e Merla Watson me convidaram para juntar-me a eles no púlpito para ajudar a louvar e cantar. Mas eu não conseguia falar em público.

Jim Poynter, o pastor metodista livre, tinha me visto ali. E um dia ele parou no quiosque do shopping center apenas para conversar sobre as coisas do Senhor. Foi quando me convidou para ir com ele até a reunião de Kuhlman, em Pittsburgh.

Meu encontro pessoal com o Espírito Santo depois daquela reunião foi incrível. Mas demorei alguns dias para perceber as dimensões da revelação de Deus para mim.

Nessa mesma época, mudei de emprego. Aceitei um trabalho como arquivista em um conselho escolar católico, em Toronto.

Tenho certeza de que eles se preocupavam comigo de vez em quando. Eu tinha um sorriso no rosto só de pensar no que Deus estava fazendo em minha vida.

No minuto em que meu trabalho terminava, eu ia para casa, corria para meu quarto e começava a conversar com ele: "Oh, Espírito Santo, estou tão feliz por estar aqui de volta, sozinho com você." Sim, ele estava sempre comigo, mas meu quarto tornou-se um lugar muito especial e sagrado. Às vezes, quando não estava trabalhando, ficava em casa o dia todo, apenas tendo uma comunhão pessoal com ele.

O que eu estava fazendo? Estava criando uma *comunhão*. Comunhão com o Espírito. E quando não estava trabalhando ou em meu quarto, tentava ir à igreja. Mas não contei a ninguém o que estava acontecendo comigo.

Quando saía de casa pela manhã, ele saía comigo. Eu realmente sentia alguém ao meu lado. No ônibus, sentia a necessidade de começar a conversar com ele, mas não queria que as pessoas achassem que estava louco. Mesmo no trabalho, havia momentos em que sussurrava coisas para ele. No almoço, era minha companhia. Mas dia após dia, quando chegava em casa, subia correndo as escadas, trancava a porta do meu quarto e dizia: "Agora estamos sozinhos." E minha viagem espiritual continuava.

Unção no carro

Preciso explicar que muitas vezes não estava consciente de sua presença. Sabia que ele estava comigo, mas fiquei tão acostumado a ele que não sentia a eletricidade daqueles momentos especiais.

Mas outras pessoas sentiam. Frequentemente, quando meus amigos vinham me ver, começavam a chorar por causa da presença do Espírito Santo.

Uma vez Jim Poynter me chamou para dizer:

— Quero passar para pegá-lo e levá-lo a uma igreja metodista na qual vou cantar. Você pode cantar comigo, se quiser. — Eu não era um cantor de verdade, mas ajudava-o de vez em quando.

Naquela tarde, estava novamente envolvido na unção do espírito de Deus. Foi quando ouvi Jim tocar a buzina. Quando corria pelas escadas e até o carro, praticamente senti a presença de Deus correndo comigo.

No momento em que pulei no banco da frente e fechei a porta, Jim começou a chorar. Começou a cantar aquele refrão: "Aleluia! Aleluia!" Virou-se para mim e disse: "Benny, posso sentir o Espírito Santo neste carro."

— Claro que sua presença está neste carro — falei. — Onde mais estaria? — Para mim, tinha se tornado algo normal. Mas Jim quase não conseguia dirigir. Continuou a chorar perante o Senhor.

Uma vez, minha mãe estava limpando o corredor enquanto eu estava no meu quarto conversando com o Espírito Santo. Quando saí, ela foi jogada para trás. Algo a jogou contra a parede. Eu disse:

— O que há de errado com você, mamãe? — e ela me respondeu:

— Não sei.

Bem, a presença do Senhor quase a derrubou.

Meus irmãos podem contar as várias vezes que se aproximaram de mim e não sabiam o que estava acontecendo — mas sentiam algo incomum.

Com o passar do tempo, perdi meu desejo de sair com os jovens da igreja para me divertir. Só queria ficar com o Senhor. Então era comum eu dizer:

— Senhor, prefiro isso a qualquer coisa que o mundo possa me oferecer.

Eles podiam ter seus jogos, sua diversão, seu futebol — eu simplesmente não precisava disso.

— O que quero é o que tenho agora — falei ao Senhor. — Não sei o que é, mas nunca tire isso de mim. — Comecei a entender mais profundamente o desejo de Paulo de "comungar com o Espírito Santo".

Henry, Mary, Sammy e Willie

Agora, até membros da minha família estavam fazendo perguntas. O Espírito do Senhor penetrou tanto em nosso lar, que meus irmãos e irmãs começaram a desenvolver uma fome espiritual.

Um por um, vieram a mim e começaram a fazer perguntas. Diziam:

— Benny, estive observando você. Esse Jesus é real, não é?

Minha irmã, Mary, entregou seu coração ao Senhor. E poucos meses depois, meu irmão mais novo, Sammy, foi salvo. Depois veio Willie.

Tudo que podia fazer era gritar: "Aleluia!" Estava acontecendo — e eu nem tinha começado a pregar.

Meu pai estava perto de ir para um hospício. Estava perdendo toda sua família para esse Jesus. Ele não sabia como resolver isso. Mas não havia dúvida de que minha mãe e meu pai podiam ver a transformação que já estava acontecendo em mim, em dois de meus irmãos e em Mary.

Quando entreguei minha vida ao Senhor, tive alguns encontros maravilhosos com ele. Mas isso não era nada comparado com minha caminhada diária com o Espírito Santo. Agora o Senhor *realmente* visitava meu quarto. A glória preenchia aquele lugar. Alguns dias eu ficava de joelhos louvando o Senhor por oito, nove ou dez horas, direto.

O ano de 1974 liberou um fluxo infinito do poder de Deus em minha vida. Tinha de dizer apenas "Bom dia, Espírito Santo", e tudo recomeçava. A glória do Senhor permanecia comigo.

Um dia, em abril, pensei: *Deve existir uma razão para isso.* Perguntei: "Senhor, por que está fazendo tudo isso por mim?" Sabia que Deus não preparava piqueniques espirituais para sempre.

Em seguida, quando comecei a orar, foi isso que Deus me revelou: Vi alguém parado na minha frente. Estava totalmente em chamas, movendo-se incontrolavelmente; seus pés não tocavam o chão. A boca desse ser estava se abrindo e se fechando — tal como a Palavra descreve um "ranger de dentes".

Naquele momento, o Senhor falou comigo em voz alta. Ele disse: "Pregue o evangelho."

Minha resposta, é claro, foi: "Mas, Senhor, não consigo falar."

Duas noites depois, o Senhor me mandou um segundo sonho. Vi um anjo. Tinha uma corrente na mão, presa a uma porta que parecia abarcar todo o Céu. Ele a abriu e havia pessoas até onde o olho conseguia ver. Almas. Estavam todas caminhando para um vale grande e profundo — e o vale era um barulhento inferno de fogo.

Era assustador. Vi milhares de pessoas caindo naquele fogo. Os que estavam nas primeiras fileiras estavam tentando lutar, mas o mar de humanidade atrás deles os empurrava para as chamas.

Novamente, o Senhor falou comigo. Ele disse claramente: "Se você não pregar, todos os que caírem será por responsabilidade sua." Soube instantaneamente que tudo que acontecia na minha vida era por uma razão — pregar o evangelho.

Aconteceu em Oshawa

A comunhão continuou. A glória continuou. A presença do Senhor não desapareceu; acabou se intensificando. A Palavra se tornou mais real. Minha vida de oração se tornou mais poderosa.

Finalmente, em novembro de 1974, não consegui mais evitar o assunto. Disse ao Senhor: "Vou pregar o evangelho com uma condição: que você esteja comigo em todos os cultos." E aí eu o lembrei: "Senhor, sabe que não consigo falar." Eu estava sempre preocupado com meu problema de fala e com o fato de que ficaria atrapalhado.

Era impossível, no entanto, apagar da minha mente a imagem de um homem se queimando e o som do Senhor dizendo: "Se você não pregar, todos que caírem serão responsabilidade sua."

Pensei: "Preciso começar a pregar." Mas entregar folhetos não seria bom o suficiente? Então, em uma tarde, na primeira semana de dezembro, estava sentado na casa de Stan e Shirley Phillips, em Oshawa, a uns 50 quilômetros a leste de Toronto.

— Posso contar algo? — perguntei. Nunca tinha me sentido tão inclinado a contar toda a história sobre minhas experiências, sonhos e visões. Por quase três horas, abri meu coração sobre as coisas que somente o Senhor e eu conhecíamos.

Antes de terminar, Stanley me fez parar e disse: "Benny, essa noite você precisa vir até nossa igreja e compartilhar isso." Eles tinham uma comunidade chamada Shilo — cerca de cem pessoas, na Assembleia de Deus de Trinity, em Oshawa.

Gostaria que vocês tivessem me visto. Meu cabelo estava na altura dos ombros e eu não estava vestido para ir à igreja, porque o convite tinha sido totalmente inesperado.

Mas em 7 de dezembro de 1974, Stan me apresentou à comunidade, e pela primeira vez na minha vida, estava atrás de um púlpito para pregar.

No instante em que abri minha boca, senti algo tocar minha língua e liberá-la. Eu a sentia um pouco adormecida, e comecei a proclamar a Palavra de Deus com absoluta fluência.

E agora vem o mais incrível: Deus não me curou quando estava sentado na plateia. Ele não me curou quando estava caminhando até o púlpito. Ele não me curou quando fiquei parado atrás do púlpito. Deus realizou o milagre quando abri minha boca.

Quando minha língua se soltou, eu disse: "É isso!" A gagueira tinha desaparecido. Toda. E nunca mais voltou.

Meus pais não sabiam que eu estava curado porque quase não conversávamos em casa. E, é claro, sempre houve momentos em que eu conseguia falar sem o problema aparecer durante algum tempo — antes de algo me fazer gaguejar novamente.

Mas eu sabia que estava curado. E meu ministério começou a crescer rapidamente. Parecia que a cada dia eu era convidado a uma igreja ou a uma comunidade para pregar. Sentia-me perfeitamente no centro da Vontade de Deus.

"Vou morrer"

Nos cinco meses seguintes, atuei como pregador, mas meus pais nem tinham ideia. Manter isso escondido por tanto tempo foi um milagre. Meus irmãos sabiam, mas não ousaram contar a papai porque sabiam que seria o fim de Benny.

No *Toronto Star* de abril de 1975, apareceu um anúncio de jornal com minha fotografia. Eu estava pregando em uma pequena igreja pentecostal na região oeste da cidade e o pastor queria atrair mais visitantes.

Funcionou. Costandi e Clemence viram o anúncio.

Eu estava sentado na plataforma naquela noite de domingo. Durante as músicas, olhei para a frente e quase não consegui acreditar em meus olhos. Lá estavam meus pais sendo conduzidos para um lugar logo em uma das primeiras fileiras à frente da plataforma.

Pensei: "É isso. Vou morrer."

Jim Poynter, meu bom amigo, estava sentado perto de mim. Eu me virei para ele e disse:

— Ore, Jim! Ore! — Ele ficou chocado quando lhe contei que minha mãe e meu pai estavam ali.

Milhares de pensamentos passaram por minha cabeça, sendo que o mais forte era: *Senhor, saberei que estou realmente curado se não gaguejar esta noite.* Não consigo me lembrar de outro momento em que fiquei tão nervoso durante um culto, e a ansiedade sempre me fez gaguejar.

Quando comecei a pregar, o poder da presença de Deus começou a fluir pelo meu corpo, mas não conseguia olhar na direção de meus pais — nem mesmo uma olhada rápida. Tudo que sabia era que minha preocupação com a gagueira era desnecessária. Quando Deus me curou, a cura foi permanente.

Chegando ao final do culto, comecei a orar para aqueles que precisavam de cura. Oh, o poder de Deus encheu aquele lugar.

Quando o culto estava terminando, meus pais se levantaram e caminharam até a porta de saída.

Depois do culto, disse a Jim:

— Você precisa orar. Percebe que meu destino será decidido nas próximas horas? Talvez precise dormir na sua casa hoje.

Aquela noite, dirigi sem rumo por Toronto. Queria esperar pelo menos até as duas da manhã para chegar em casa. Nessa hora sabia que meus pais estariam na cama.

Realmente não queria ter de enfrentá-los.

Mas voltamos a isso mais tarde.

Quatro

Face a face

Está pronto para conhecer o Espírito Santo de forma íntima e pessoal? Quer ouvir sua voz? Está preparado para conhecê-lo como uma *pessoa*?

Foi exatamente o que aconteceu comigo e transformou drasticamente a minha vida. Foi uma experiência intensamente pessoal e baseou-se na Palavra de Deus.

Você pode perguntar: "Foi o resultado de um estudo sistemático da Bíblia?" Não, aconteceu quando convidei o Espírito Santo para ser meu amigo pessoal. Para ser meu guia constante. Para que me pegasse pela mão e me levasse a "toda a verdade". O que *ele* vai expor e revelar a você nas Escrituras fará com que seus estudos bíblicos ganhem vida.

O que estou prestes a compartilhar com você começou no momento em que o Espírito Santo entrou em meu quarto, em dezembro de 1973, e nunca mais parou. Aqui está a única diferença: *Eu o conheço infinitamente melhor hoje do que quando nos encontramos pela primeira vez.*

Vamos começar com o básico. O Espírito Santo mudou minha vida. Ele estava comigo desde o momento em que pedi a Cristo para entrar em meu coração e renasci.

Depois chegou a época em que recebi o batismo do Espírito Santo. Fui "preenchido" com o Espírito. Falei em línguas. Ele tornou sua presença e seus dons conhecidos. Tantos cristãos receberam a mesma experiência e pararam por aí. Não conseguiram perceber que o que aconteceu no Pentecostes foi somente *um* dos dons do Espírito.

Mas o que eu quero que você saiba é isto: além da salvação, do batismo com água e da plenitude do Espírito, a "terceira Pessoa da Trindade" está esperando para que você se encontre com ela pessoalmente. Anseia por um longo relacionamento. E é isso que você está a ponto de descobrir.

Arrastado à comunhão

Se você tivesse discado meu número há dois anos e tivéssemos nos conhecido por telefone, e se continuássemos nossas conversas, mas nunca tivéssemos nos encontrado, o que você realmente saberia sobre mim?

Você diria: "Conheço o som da sua voz como ela sai pelo fone." E seria somente isso. Não me reconheceria se me visse na rua.

Mas então chegaria o dia em que nos encontraríamos frente a frente. De repente, você vem me dar a mão. Vê como eu sou, a cor dos meus cabelos e olhos, que tipo de roupas eu uso. Talvez possamos sair para comer e descobrirá se gosto de café ou de chá.

Aprende-se muito sobre as pessoas quando as encontramos pessoalmente.

Fim da luta

Quando o Espírito Santo e eu nos encontramos, foi isso que começou a acontecer. Comecei a descobrir coisas sobre sua personalidade que me transformaram como cristão. A salvação me transformou como pessoa. Mas o Espírito teve um tremendo efeito na caminhada cristã.

Quando comecei a conhecer o Espírito Santo, tornei-me sensível a ele e aprendi o que o entristece — e o que o alegra. O que ele gosta, o que não gosta. O que o deixa bravo e o que o deixa feliz.

Cheguei a entender que a Bíblia em si foi escrita pelo Espírito Santo. Ele usou todos os tipos de homens, mas cada um deles foi guiado pelo Espírito.

Lutei por muito tempo para entender a Bíblia. Chegou o dia em que olhei para cima e disse: "Maravilhoso Espírito Santo. Poderia, por favor, me contar o que quer dizer com isso?" E ele falou. Revelou a Palavra para mim.

O Senhor usou um encontro com Kathryn Kuhlman para me preparar para o que estava para acontecer. Mas a Srta. Kuhlman nunca se sentou comigo para falar sobre o Espírito Santo. Tudo que aprendi foi dele. E é por isso que é algo vivo, novo e por isso é *meu*.

Quando voltei para casa daquela reunião em Pittsburgh, caí de joelhos. Fui honesto e transparente quando disse: "Precioso Espírito Santo, quero conhecê-lo." Nunca vou esquecer como estava nervoso. Mas a partir daquele dia vim a conhecê-lo como a um irmão. Verdadeiramente, ele é um membro da família.

Quem é ele

Você pode perguntar: "Quem é o Espírito Santo?" Quero que saiba que ele é a pessoa mais linda, mais preciosa, mais amorosa da Terra. Deus Filho não está na Terra. Deus Pai não está na Terra. Os dois estão no Céu neste exato segundo.

Quem está na Terra? *Deus Espírito Santo.* Porque Deus Pai veio para fazer sua obra por intermédio do Filho que ressuscitou. Quando Deus Filho partiu, Deus Espírito Santo veio e ainda está aqui fazendo seu trabalho.

Pense nisso. Quando Deus Filho partiu, ele não quis levar nem João e Pedro com ele. Por isso, disse: "Meus filhinhos, vou estar com vocês apenas mais um pouco. Vocês procurarão por mim e, como eu disse aos judeus, agora lhes digo: Para onde eu vou, vocês não podem ir" (João 13:33).

Mas quando Deus Espírito Santo partir, o que muitos acreditam que vai acontecer logo, ele vai levar os redimidos do Senhor com ele. Isso se chama Arrebatamento. Seremos levados com ele para nos encontrarmos com o Senhor no ar.

Quem é esse Espírito Santo? Pensei em um momento que ele era como vapor, algo pairando no ar e que eu nunca poderia entender de verdade. Descobri que ele não é apenas real, mas que tem uma personalidade.

O que está dentro?

O que me faz uma pessoa? É meu corpo físico? Acho que não. Tenho certeza de que você já foi a um enterro e viu o corpo deitado no caixão. Está olhando para uma pessoa? Não! Está olhando um corpo morto.

Você deve perceber que o que faz uma pessoa não é o corpo. Em vez disso, a pessoa é o que sai do corpo. Emoções. Vontade. Intelecto. Sentimentos. Essas são algumas das características que o fazem uma pessoa e lhe dão uma personalidade.

As pessoas que assistem à minha pregação não estão olhando para Benny Hinn. Estão vendo apenas o meu corpo. Eu estou dentro do meu corpo físico. É a pessoa *dentro* que é importante.

O Espírito Santo é uma pessoa. E exatamente como você, pode sentir, perceber e responder. Ele se machuca. Possui a capacidade de amar e a capacidade de odiar. Fala e possui vontade própria.

Mas exatamente quem é ele? *O Espírito Santo é o Espírito de Deus Pai e o Espírito de Deus Filho.* Ele é o poder da Divindade — o poder da Trindade.

Qual é sua função? A tarefa do Espírito é dar vida aos mandamentos do Pai e às realizações do Filho.

Para entender a tarefa do Espírito Santo precisamos entender o trabalho do Pai e do Filho. *Deus Pai é aquele que comanda.* Sempre foi ele que disse: "Que se faça." Desde o começo, é Deus quem dá as ordens.

Por outro lado, *é Deus Filho quem realiza os mandamentos do Pai*. Quando Deus Pai disse: "Crie-se a luz", foi Deus Filho que veio e realizou isso. Depois, Deus Espírito Santo *trouxe* a luz.

Deixe-me ilustrar desta forma. Se eu pedisse a você: "Por favor, acenda a luz", três forças estariam envolvidas. Primeiro, eu seria aquele que estaria dando a ordem. Segundo, você seria aquele que caminharia até o interruptor. Em outras palavras, seria o realizador da ordem. Mas, finalmente, quem traz a luz? Não sou eu nem você. É o poder — a eletricidade — que produz a luz.

O Espírito Santo é o poder de Deus. Ele é o poder do Pai e do Filho. É quem coloca em ação as realizações do Filho. Mas ele é uma pessoa. Possui emoções que são expressas de uma forma única entre a Trindade.

Já me perguntaram:

— Benny, não está esquecendo a importância de Cristo em tudo isso?

Nunca! Como poderia esquecer aquele que amou e morreu por mim? Mas algumas pessoas estão tão focadas no Filho que se esquecem do Pai — aquele que os amou e enviou seu Filho. Não posso esquecer nem o Pai, nem o Filho. Mas *não posso estar em contato com o Pai ou o Filho sem o Espírito Santo* (ver Efésios 2:18).

Comunhão

Durante um dos meus primeiros encontros com o Espírito Santo, tive uma experiência que me levou às lágrimas. Assim como estou falando com você, perguntei a ele: "O que devo fazer com você? Poderia, por favor, me dizer como você é?" Honestamente, eu era como uma pequena criança tentando aprender. E senti que ele não ficaria bravo com minhas perguntas diretas.

O encontro da comunhão

Eis a resposta que o Espírito Santo me deu: "Sou aquele que é seu irmão." E em um estalar de dedos, aquele versículo apareceu na minha mente: "A graça do Senhor Jesus Cristo, o amor de Deus e a comunhão do Espírito Santo sejam com todos vocês" (2 Coríntios 13:14).

Pensei: *É isso! O Espírito Santo é aquele que comunga, que confraterniza comigo.* Depois, perguntei: "Como posso ser próximo a você, mas não ao Filho?" E ele respondeu: "É exatamente assim que deve ser. Estou aqui para ajudá-lo em suas orações ao Pai. E estou aqui para ajudá-lo a orar ao Filho."

Imediatamente mudei completamente a forma como orava. Era como se tivessem me entregado uma chave dourada que abrisse os portões do Céu. A partir daquele momento, tinha um amigo pessoal que me ajudava a falar com o Pai em nome de Jesus. Ele literalmente me levava a ficar de joelhos e facilitava a comunicação com o Pai.

Que comunhão! É o que o Espírito Santo anseia — a comunhão com você!

Deixe-me explicar. Não há pedidos ou petições em comunhão como há em oração. Se eu pedisse: "Por favor, poderia me trazer alguma comida?" Isso é um pedido. Mas a comunhão é muito mais pessoal. "Como você está hoje? Vamos tomar o café da manhã juntos!" Isso é comunhão.

Lembre-se: não há pedidos egoístas na fraternidade — só amor e comunhão. Era assim comigo. Comecei a esperar pelo Espírito Santo antes de orar. Eu dizia: "Precioso Espírito Santo, poderia vir agora e me ajudar a orar?"

A Bíblia diz: "Da mesma forma o Espírito nos ajuda em nossa fraqueza, pois não sabemos como orar, mas o próprio Espírito intercede por nós com gemidos inexprimíveis. E aquele que sonda os corações conhece a intenção do Espírito, porque o Espírito intercede pelos santos de acordo com a vontade de Deus" (Romanos 8:26,27).

Quando não sabemos o que dizer, ele vem em nosso auxílio.

E aqui está outro princípio que aprendi. *O Espírito Santo é o único professor da Bíblia.* "Nós, porém, não recebemos o espírito do mundo, mas o Espírito procedente de Deus, para que entendamos as coisas que Deus nos tem dado gratuitamente. Delas também falamos, não com palavras ensinadas pela sabedoria humana, mas com palavras ensinadas pelo Espírito, interpretando verdades espirituais para os que são espirituais" (1 Coríntios 2:12,13).

Acompanhado pelo Espírito

Desde meu primeiro encontro com o Espírito Santo, comecei a descobrir que ele era o maior professor — aquele que me levaria a "toda a verdade". Por isso, perguntei: "Poderia, por favor, me falar o que significam as Escrituras?"

Mas eu ainda queria saber: "Quem é você? E por que é tão diferente?" Eu dizia: "Gostaria de saber como é você."

Gentil, mas poderoso

Aqui é o que eu vi. O que ele revelou para mim foi que era uma pessoa poderosa e sensível como uma criança ao mesmo tempo. Ele me disse: "Quando você machuca uma criança, ela se afasta de você; quando ama uma criança, ela se aproxima de você." E foi assim que comecei a me aproximar dele. Senti que ele era gentil e, ao mesmo tempo, poderoso e forte. No entanto, como uma criança, ele quer se aproximar de todos que o amam.

Já viu um garotinho ou garotinha puxando a saia da mãe ou a calça do pai? Onde eles vão, as crianças se penduram e os seguem. É um sinal claro de que as crianças são amadas e cuidadas. É assim com o Espírito Santo. Ele fica perto de quem o ama.

Como era possível que o grande evangelista Charles Finney pudesse pregar o Evangelho e as pessoas fossem "tomadas pelo poder", confessando seus pecados? Qual era o poder que surgia quando John Wesley se levantava sobre as lápides e abria sua boca para pregar? Era a pessoa do Espírito Santo que *acompanhava* seus ministérios.

Em Nova York, Kathryn Kuhlman tinha acabado de terminar uma pregação em uma convenção da Associação dos Homens de Negócio do Evangelho Pleno. Ela foi levada pela cozinha até um elevador para evitar a multidão. Os cozinheiros não tinham ideia de que uma reunião estava acontecendo e nunca tinham ouvido falar da Srta. Kuhlman. Com seus chapéus e aventais brancos, os cozinheiros nem perceberam que ela estava passando, e o que aconteceu em seguida é que estavam todos no chão. Por quê? Kathryn não orou por eles; simplesmente passou. O que aconteceu? Quando ela deixou a reunião parecia que o poder da presença dele estava com ela.

Quem é o Espírito Santo? *Ele é o poder do Senhor.*

Aquele poder se tornou mais evidente para mim quando comecei a orar em meu quarto — sozinho. Um dia após o outro, a cada hora, levantava minhas mãos e dizia: "Precioso Espírito Santo, poderia vir agora e falar comigo?" A quem mais poderia pedir? Minha família estava contra mim. Tinha poucos amigos. Somente ele. Somente o Espírito Santo.

Houve algumas vezes em que ele vinha como um vento. Como uma brisa fresca em um dia de verão. A alegria do Senhor me preenchia até que não conseguia me conter. Quando conversávamos, eu dizia: "Espírito Santo, amo você e anseio por sua comunhão." E descobri que isso era mútuo. Ele também queria comungar comigo.

O jantar pode esperar!

Uma vez, na Inglaterra, eu estava na casa de uma família cristã. Meu quarto era na parte superior da casa. Uma noite, estava perdido no Espírito, me divertindo muito enquanto conversava com ele. A mulher da casa me chamou: "Benny, o jantar está pronto."

Mas eu estava conversando e não queria parar. Ela voltou a chamar: "O jantar está pronto." E quando eu estava prestes a sair, senti alguém segurando minha mão e dizendo: "Mais cinco minutos. Só mais cinco minutos." O Espírito Santo queria comungar comigo.

Você pode perguntar: "Sobre o que falavam?" Eu lhe fazia perguntas.

Por exemplo, um dia, perguntei: "Como você pode ser diferente do Pai e do Filho?" E instantaneamente ele me mostrou

Estevão sendo apedrejado e me disse: "Estevão viu o Pai e o Filho, e eu estava nele." Três indivíduos distintos.

O Espírito Santo era aquele que deu a Estevão o poder para suportar o sofrimento. Jesus era o que esperava por sua chegada. E o Pai era quem se sentava no trono. É possível ler isso em Atos 7:54-56.

E o Espírito Santo me mostrou mais.

Foi ele quem deu a Moisés o poder para ser o libertador do povo de Israel.

Ele foi o poder na vida de Josué.

Ele foi a força por trás do vento que dividiu o Mar Vermelho.

Ele foi o grande poder que destruiu as muralhas de Jericó.

Ele foi a energia por trás da pedra de Davi quando Golias caiu.

O Espírito Santo. Ele foi a força na vida de Samuel, de Elias — e de Cristo, o Senhor.

Jesus era um homem total, mas a Escritura é clara quando diz que ele não pregaria sem o Espírito Santo. Ele não colocaria suas mãos nos doentes sem o Espírito Santo. "O Espírito do SENHOR está sobre mim", falou ao começar seu ministério, "porque ele me ungiu para pregar boas novas..." (Lucas 4:18).

O que aconteceu quando Jesus voltou ao Pai? De repente, os discípulos estavam em tal comunhão com o Espírito que todo seu vocabulário mudou. Eles começaram a dizer que "o Espírito Santo e nós" fomos testemunhas de sua ressurreição. Ele se tornou parte de cada ação de suas vidas. Estavam em comunhão completa — trabalhando juntos pelo Filho.

O que aconteceu na vida do apóstolo Paulo que lhe deu força para que suportasse as privações? E o que aconteceu na vida de Pedro que até sua sombra curava os doentes? Foi o toque do Espírito.

David Wilkerson fala sobre ir ver uma mulher de Deus chamada Basilia Schlink. Ele disse que no momento em que entrou na sala podia sentir a presença do Senhor. Por quê? Porque ela amava o Espírito Santo. E aqueles que o amam conhecem sua presença.

Você reconhece aquela voz?

Quando Jesus estava na Terra e os discípulos tinham um problema, a quem eles procuravam? Iam ao Filho e pediam: "O que devemos fazer?" E ele os instruía. Mas quando Cristo voltou ao Pai, eles não ficaram sozinhos. Jesus lhes disse: "O Espírito Santo os guiará. Ele irá confortá-los. Irá aconselhá-los e lembrá-los das coisas que falei a vocês. Contará sobre mim."

Pedro e João agora estavam dizendo: "Maravilhoso Espírito Santo." Paulo falou de sua "comunhão".

Depois que Pedro teve sua visão no telhado da casa de Simão, o curtidor, em Jope, "...o Espírito lhe disse: "Simão, três homens estão procurando por você. Portanto, levante-se e desça. Não hesite em ir com eles, pois eu os enviei" (Atos 10:19,20).

Pedro reconheceu a voz do Espírito Santo. E que era o começo do evangelho sendo pregado aos gentios.

Como o eunuco etíope foi convertido? "E o Espírito disse a Filipe: "Aproxime-se dessa carruagem e acompanhe-a" (Atos 8:29). *Filipe reconheceu a voz do Espírito Santo.* Não foi Deus Pai que falou com ele — nem Deus Filho. Foi Deus Espírito Santo. Ele é uma pessoa com vontade, e naquele momento estava fazendo o trabalho do Pai. Acredito que o maior pecado contra o Espírito Santo é entristecê-lo, o que acontece quando negamos seu poder e presença. Em nenhum lugar das Escrituras encontramos as palavras "Não entristeçam Deus

Pai" ou "Não entristeçam Deus Filho". Mas em todas as partes da Bíblia encontramos "Não entristeçam o Espírito".

Deus disse aos filhos de Israel no deserto: "Vocês irritaram *Meu Espírito*." Ele não falou: "Vocês me deixaram tristes." Deus Filho olhou para os fariseus e disse: "Todo aquele que disser uma palavra contra o Filho do homem será perdoado, mas quem blasfemar contra o Espírito Santo não será perdoado" (Lucas 12:10).

A pessoa do Espírito Santo é diferente dentro da Divindade. Ele é terno. É sensível. Mas porque Jesus o entregou a você e a mim, ele não vai nos abandonar.

A pessoa do Espírito Santo é um cavalheiro. Ele não entra no seu quarto enquanto você não o convidar. Não se senta enquanto você não lhe pedir. E não fala nada se você não falar primeiro.

Por quanto tempo ele vai esperar? Até você falar com ele. Podem ser meses — até anos. Ele vai esperar e esperar e esperar. Meu amigo, você nunca vai conhecer seu poder; nunca vai conhecer sua presença até você ir e se sentar ao lado dele e dizer: "Maravilhoso Espírito Santo, conte-me tudo sobre Jesus."

Eu quase não conseguia segurar o telefone

Depois de terminar uma entrevista de rádio na Flórida, a mulher que me entrevistou disse: "Benny, sou cristã há muito tempo, mas algo está faltando na minha vida."

— O que você anseia? — perguntei.

— Preciso da realidade de Deus em minha vida — foi sua resposta.

Perguntei se ela conhecia Deus Espírito Santo.

— Conheço Jesus — ela falou.

— O Espírito Santo é uma pessoa — falei para ela. — Como acha que me sentiria se você estivesse sentada aqui me ignorando? Quando nos conhecemos, esperava que você conversasse comigo. E é a mesma coisa com o Espírito Santo.

— Nunca pensei dessa forma — ela falou.

— Quando estiver sozinha à noite, converse com ele — continuei. — É simples assim. — Sabia que ela encontraria a realidade que estava procurando.

— E Jesus? — ela perguntou.

Eu lhe disse:

— Apenas sente-se e espere por ele; é ele quem glorifica Jesus. Não, você não está esquecendo Jesus. Afinal, foi Cristo que nos deu o Espírito Santo. Faça apenas o que Jesus mandou.

No dia seguinte, recebi uma ligação telefônica da apresentadora de rádio mais animada que já vi.

— Sabe o que me aconteceu na noite passada? — ela perguntou, falando tão rápido que precisei acalmá-la. — Benny, o Espírito Santo falou comigo.

O que ela disse me deixou arrepiado. Quase não conseguia segurar o telefone. Ela começou a chorar quando me contou que o Espírito Santo falou com ela: "Procurei por todo o mundo e não há ninguém como Jesus." E me contou sobre as palavras que ouviu: "Venha, Senhor Jesus. Venha, Senhor Jesus."

Imediatamente me lembrei das palavras: "O Espírito e a noiva dizem: 'Vem!'" (Apocalipse 22:17).

Aqui está uma das lições mais importantes que aprendi. *Uma pessoa que conhece a presença do Espírito Santo sempre irá glorificar e magnificar Jesus.*

Quando você realmente conhece o Espírito, irá glorificar Jesus Cristo, o Filho de Deus, porque o Espírito Santo dentro de você irá glorificar Deus Filho. É automático. Somente Jesus é glorificado em uma vida que está preenchida pelo Espírito.

Toda ação da sua vida reflete o que preenche sua vida. Se encher sua vida com jornais, vai falar das notícias. Se assiste a novelas, vai falar de novelas. Mas se estiver preenchida com o Espírito e se absorver em sua presença, vai procurar Jesus e só a ele glorificar.

Se Deus Pai e Deus Filho demonstraram seu amor pelo Espírito Santo, como podemos fazer menos?

Deus amou-o tanto que castigou os filhos de Israel por sua desobediência: "Eles se revoltaram e entristeceram o seu Espírito Santo. Por isso, ele se tornou inimigo deles e lutou pessoalmente contra eles" (Isaías 63:10). Deus não permitiria um sacrifício, nem mesmo as orações de Moisés, para fornecer perdão por pecar contra o Espírito Santo.

O alto custo da mentira

A experiência de Ananias e Safira deixa claro o que acontecerá com as pessoas que desprezarem o Espírito. O casal vendeu uma parte de sua propriedade e só deu uma pequena porção do que pertencia a Deus. Pedro disse: "Ananias, como você permitiu que Satanás enchesse o seu coração, a ponto de você mentir ao Espírito Santo" (Atos 5:3). Ananias morreu instantaneamente. Algumas horas depois, sua esposa saiu correndo e Pedro perguntou: "Diga-me, foi esse o preço que você e Ananias conseguiram pela propriedade?"

Respondeu ela: "Sim, foi esse mesmo." Pedro lhe disse: "Por que vocês entraram em acordo para tentar o Espírito do Senhor?

Veja! Estão à porta os pés dos que sepultaram seu marido, e eles a levarão também." Naquele mesmo instante, ela caiu morta aos pés dele (Atos 5:7-10).

Pecar contra o Espírito é perigoso. Se não entende os trabalhos do Espírito, não fale sobre eles; é melhor ficar quieto. Em meus cultos, oro para que tudo que fizer esteja de acordo com sua vontade perfeita. O Espírito Santo é quem me chamou e é aquele que controla meus encontros. Em outras palavras, ele é o chefe do culto.

Você precisa pedir para ele tomar conta de sua vida, também.

Por quê? Porque ele é o que foi enviado para estar com você — e em você — para sempre. Você pode conhecê-lo e estar em comunhão com ele. E quanto mais estiver em comunhão, maior Jesus se tornará. E mais amoroso Cristo se tornará. Porque tudo que ele fala está em Jesus. Cristo disse: "Quando vier o Conselheiro, que eu enviarei a vocês da parte do Pai, o Espírito da verdade que provém do Pai, ele testemunhará a meu respeito" (João 15:26).

Então, se eu quiser conhecer Jesus, devo ir ao Espírito Santo. Jesus disse isso. E ele sabia do que estava falando.

No Antigo Testamento, Moisés podia ir ao Pai. No Novo Testamento, os discípulos podiam falar com o Filho. Mas quando você e eu precisamos, quem devemos procurar? O Espírito Santo. Ele é uma pessoa e está esperando agora para que você o receba em sua vida.

Ao procurar sua presença, você descobrirá o segredo dos grandes homens e mulheres de Deus. Davi falou: "Não me expulses da tua presença, nem tires de mim o teu Santo Espírito" (Salmo 51:11). Ele sabia muito bem o que aconteceu quando o Espírito deixou Saul.

Paulo nos mandou caminhar no Espírito, viver no Espírito, orar no Espírito. Pedro e Filipe falaram com ele. Da mesma forma que Cristo.

É hora de começar

Você pergunta: "Como faço para começar?" É realmente muito simples. Você poderia começar dizendo: "Espírito Santo, ajude-me a orar agora." É exatamente o que ele quer que você faça. A Bíblia afirma que ele ora por você "com gemidos que não podem ser pronunciados". E quando você fizer isso, sentirá seu fardo começar a aliviar. Terá um parceiro de oração que o levará direto para o trono de Deus.

O Espírito Santo é uma pessoa tão adorável. Ele quer ser seu amigo mais querido, e está esperando para aproximá-lo de Jesus. Cristo disse: "Se eu não for, o Conselheiro não virá para vocês; mas se eu for, eu o enviarei" (João 16:7). Depois disse que o Espírito Santo "os guiará a toda a verdade" e "me glorificará, porque receberá do que é meu e o tornará conhecido a vocês" (João 16:13,14). E não apenas isso — ele vai prepará-lo para a vinda do Senhor, assim quando acontecer o Arrebatamento, você estará pronto.

O Espírito Santo está esperando. Ele quer que você comece uma nova relação — de pessoa para pessoa.

Cinco

Qual voz você ouve?

— Benny, quero que pare de falar de Jesus nesta casa. Está entendendo? Nunca poderei esquecer a voz irritada do meu pai, que estava furioso por causa da minha conversão. E depois do meu encontro com o Espírito Santo, sua indignação ficou ainda pior.

Mas comecei a ouvir outra voz. Era o som do Espírito e ele me dava um amor por meu pai que superava tudo que eu tinha conhecido na infância ou na adolescência. Não importava o que meu pai dissesse, conseguia olhar para ele com total tranquilidade. E parecia que quanto mais furioso ele ficava, mais amor o Espírito me dava.

Três coisas aconteceram quando o Espírito Santo entrou em minha vida.

Primeiro, a Palavra do Deus Vivo se tornou a vida absoluta para mim. Não lia mais um pouquinho de Mateus e outro pouco dos Salmos. Abria a Bíblia e sentia como se estivesse dentro dela — vendo-a "ao vivo e em cores vivas". A voz do Espírito Santo me guiou para uma grande aventura nas Escrituras.

Segundo, minha vida de oração mudou completamente. As horas de oração em que bocejava e me repetia acabaram. O Espírito Santo e eu estávamos conversando. Ele fez de Deus algo real. Deu-me poder e ousadia que me fizeram sentir com 3 metros de altura.

E terceiro, ele transformou minha vida cristã diária. Eu realmente comecei a cantar e não sabia por que até ler as palavras: "deixem-se encher pelo Espírito, falando entre si com salmos, hinos e cânticos espirituais, cantando e louvando de coração ao Senhor" (Efésios 5:18,19).

O que começou a acontecer comigo não foi algo natural — era *sobrenatural.* O Espírito tinha tomado conta de mim. Começou a me batizar com um amor pelas pessoas — e especialmente por meu próprio pai. Foi exatamente como a Palavra declarou: "Deus derramou seu amor em nossos corações, por meio do Espírito Santo que ele nos concedeu" (Romanos 5:5).

Eu me tornei uma pessoa tão mudada que meus instintos e reações naturais foram substituídos pela liderança do Espírito. Aprendi o que significava "crucificar a carne". E percebi que não podia fazer isso sozinho. "Pois se vocês viverem de acordo com a carne, morrerão; mas, se pelo Espírito fizerem morrer os atos do corpo, viverão, porque todos os que são guiados pelo Espírito de Deus são filhos de Deus" (Romanos 8:13,14).

A voz dele

Como você é guiado pelo Espírito? *Familiariza-se com a sua voz*. Você a reconhece. Responde a ela. E quanto mais em comunhão com ele, mais profunda torna-se sua relação.

No começo

Desde o começo dos tempos, Deus deixou claros a pessoa e o poder do Espírito Santo. Na verdade, o Espírito Santo é a primeira manifestação da Trindade nas Escrituras. "E o Espírito de Deus se movia sobre a face das águas" (Gênesis 1:2).

Quando Deus criou Adão do barro, começou antes criando o barro. Aquele barro estava absolutamente morto até que o sopro de vida o acertou. A Bíblia diz que Deus "soprou em suas narinas o fôlego de vida, e o homem se tornou um ser vivente" (Gênesis 2:7).

O sopro de Deus é o Espírito Santo. Aqui está como Jó o descreveu: "O Espírito de Deus me fez; o sopro do Todo-poderoso me dá vida" (Jó 33:4).

No momento em que Deus soprou sobre Adão, ele viveu. Quando Adão abriu seus olhos, o primeiro contato que teve foi com o Espírito Santo. Pois ele era o sopro que fluiu pelo corpo de Adão e permaneceu pairando sobre ele. Adão se levantou completamente preenchido pela presença de Deus.

As Escrituras contam que Deus Espírito Santo era o poder da criação. "Com seu sopro os céus ficaram límpidos" (Jó 26:13).

O que é ainda mais emocionante, no entanto, é que Deus quer guiar este mesmo Espírito e entregá-lo a você. Ele realmente quer "derramá-lo" sobre você:

Até que sobre nós o Espírito seja derramado do alto,
e o deserto se transforme em campo fértil,
e o campo fértil pareça uma floresta.
A justiça habitará no deserto,
e a retidão viverá no campo fértil.
(Isaías 32:15,16)

Que promessa maravilhosa. Deus quer derramar seu Espírito sobre você. Quer soprar seu Espírito em você. Ele quer que você, como Adão, ganhe vida!

Perceber que o sopro de Deus é o Espírito de Deus foi, para mim, como descobrir um tesouro enterrado. Você já ouviu a voz do Todo-Poderoso falando com você? Muitas pessoas já. Mas exatamente quem estava falando? De quem era a voz que você ouviu?

Acredito que ouviu o Espírito Santo. Ele é aquele que comunica a voz de Deus. A descrição da voz de Deus Pai está registrada em Jó:

Escute o estrondo da sua voz...
o trovejar da sua boca...
A voz de Deus troveja maravilhosamente;
ele faz coisas grandiosas, acima do nosso entendimento.
(Jó 37:2, 4,5)

O poder da voz de Deus era mais do que o povo de Israel poderia entender.

Uma voz do Céu

Como Deus falava com Moisés? Por intermédio de um anjo.

No Novo Testamento, há apenas três momentos em que Deus realmente fala. Primeiro, ele falou de Jesus: "Então uma voz dos céus disse: 'Este é o meu Filho amado, em quem me agrado'" (Mateus 3:17).

Depois o próprio Jesus pediu ao Pai para "glorificar seu nome". E eis o que aconteceu: "Então veio uma voz dos céus: 'Eu já o glorifiquei e o glorificarei novamente'" (João 12:28). A multidão que ouviu isso contou que tinha "trovejado" (v. 29).

A única outra vez em que Deus falou diretamente foi quando as nuvens cercaram os discípulos no Monte da Transfiguração e ele disse: "Este é o meu Filho amado em quem me agrado. Ouçam-no!" (Mateus 17:5). Novamente, a voz de Deus produziu um resultado incrível. "Ouvindo isso, os discípulos prostraram-se com o rosto em terra e ficaram aterrorizados. Mas Jesus se aproximou, tocou neles e disse: "Levantem-se! Não tenham medo! E erguendo eles os olhos, não viram mais ninguém a não ser Jesus" (v. 6-8).

Você pode dizer: "Benny, pensei que Deus tinha falado pela Palavra." Exatamente. Mas aquele que estava falando era o Espírito Santo.

Deixe-me dar um exemplo. A voz que foi ouvida pelos profetas foi a do Espírito — não a voz do Filho ou do Pai.

Isaías fala sobre ouvir a voz do Senhor dizendo

> Vá, e diga a este povo:
> "Estejam sempre ouvindo, mas nunca entendam;
> estejam sempre vendo, e jamais percebam.
> Torne insensível o coração deste povo;

torne surdos os seus ouvidos
e feche os seus olhos.
Que eles não vejam com os olhos,
não ouçam com os ouvidos,
e não entendam com o coração,
para que não se convertam e sejam curados."
(Isaías 6:9,10)

Mas quem estava realmente falando? Era realmente a voz do Senhor? Ou era a voz de Jeová na Terra — o Espírito Santo? Para descobrir, vamos olhar para as próprias Escrituras já que isso se repetiu no livro dos Atos.

Paulo, em Roma, sob o olhar cuidadoso de um guarda, pregou que:

O Espírito Santo falou justamente por meio do profeta Isaías aos seus antepassados, dizendo:
Vá a esse povo e diga: Ainda que estejam sempre ouvindo, vocês nunca entenderão;
ainda que estejam sempre vendo, jamais perceberão.
Pois o coração desse povo se tornou insensível;
de má vontade ouviram com os seus ouvidos,
e fecharam os seus olhos.
Se assim não fosse, poderiam ver com os olhos, ouvir com os ouvidos,
entender com o coração e converter-se,
e eu os curaria.
(Atos 28:25-27)

Quem realmente falou essas palavras? O que Isaías atribuiu ao Senhor, Paulo esclareceu como sendo falado pelo Espírito Santo.

Lembre-se de que o Novo Testamento explica o Antigo. Aqui está outro exemplo. Em Jeremias, lemos: "Esta é a aliança que farei com a comunidade de Israel depois daqueles dias", declara o Senhor: "Porei a minha lei no íntimo deles e a escreverei nos seus corações. Serei o Deus deles, e eles serão o meu povo" (Jeremias 31:33).

O profeta escreve: "O Espírito Santo também nos testifica a este respeito. Primeiro ele diz: 'Esta é a aliança que farei com eles, depois daqueles dias, diz o Senhor. Porei as minhas leis em seu coração e as escreverei em sua mente'", mas para entender a verdadeira fonte daquela Escritura, você precisa lê-la no livro dos Hebreus: "O Espírito Santo também nos testifica a este respeito. Primeiro ele diz: 'Esta é a aliança que farei com eles, depois daqueles dias, diz o Senhor. Porei as minhas leis em seu coração e as escreverei em sua mente'" (Hebreus 10:15,16).

Quem disse isso? *O Espírito Santo.* Ele não apenas testemunhou isso, mas as Escrituras revelam que "Primeiro ele diz" (v. 15).

Quem é "Jeová"?

Uma profunda mudança aconteceu em minha vida espiritual quando percebi que o Espírito Santo era Deus. Milhões de pessoas — e eu estava entre elas — foram, de alguma forma, levadas a acreditar que ele é menos igual. Fomos, de alguma forma, doutrinados a isso porque ele é o terceiro, porque não é realmente Deus.

Você deve aceitar essa verdade: *O Espírito Santo é Deus.* Ele não é menos Deus do que Jesus. Não é menos Deus do que o Pai. Ele é tão Deus quanto o Pai e o Filho.

Jeová é o nome do ser trino — não o nome de somente um deles. O Pai se chama Jeová. O Filho se chama Jeová. O Espírito Santo se chama Jeová.

Quando Deus Pai fala, usa a voz do Espírito Santo. Quando Jesus enviou os Doze, ele disse: "Não se preocupem quanto ao que dizer, ou como dizê-lo. Naquela hora lhes será dado o que dizer, pois não serão vocês que estarão falando, mas o Espírito do Pai de vocês falará por intermédio de vocês" (Mateus 10:19,20).

Somos aconselhados várias vezes no Apocalipse: "Aquele que tem ouvidos ouça o que o Espírito diz..." (Apocalipse 2:7, 11, 17). Que voz devemos ouvir? A voz do Espírito.

Até o próprio Cristo não fala sem o Espírito Santo. Em Atos, lemos que ele foi levado ao Céu "...depois de ter dado instruções por meio do Espírito Santo aos apóstolos que havia escolhido" (Atos 1:2). E em Hebreus, descobrimos que Cristo se ofereceu a Deus "pelo Espírito eterno" (Hebreus 9:14).

Está ficando claro? *O Espírito Santo é aquele que fala sobre o Céu em seu coração.* Ele é a voz de Deus para você. Pode-se dizer: "Bem, eu sei que era Deus falando comigo." É claro que era Deus. Era Deus Espírito Santo. Em outras palavras, é o Pai, por intermédio do Filho, falando pelo Espírito.

A partir do que você já aprendeu, pode imaginar o que aconteceria se Deus Pai falasse com você em voz alta. Você não poderia suportar. Duvido que esteja preparado para ouvir a voz de Jesus, descrita como "o som de muitas águas" (Apocalipse 1:15). Quando João a ouviu, caiu a seus pés "como morto" (v. 17).

O Espírito Santo, no entanto, faz com que a voz do Pai e do Filho seja tranquila, adorável e perfeitamente clara.

No momento em que percebi que o Espírito Santo era Deus — e comecei a louvá-lo e tratá-lo como Deus — minha vida começou a mudar. Não vi mais o Espírito Santo como algum ser menor, mais fraco e misterioso parado em algum canto. Não foram apenas Deus Pai e Deus Filho que receberam todo meu louvor.

Deixe-me falar novamente. *O Espírito Santo é Deus* — igual em majestade, poder, glória e eternidade. Ele é Deus.

O que Jesus disse sobre o Espírito? Disse que quando ele vier "Não falará de si mesmo; falará apenas o que ouvir" (João 16:13). O que ele ouve? O precioso Espírito Santo ouve o Pai e fala diretamente com você. Mas quando ele fala, não diz: "O Pai diz." Ele fala: "Eu digo." Por quê? Porque Pai, Filho e Espírito Santo sempre agem em harmonia.

Como o sol no céu

É tão fácil limitar a Trindade ou dividi-la indo contra as Escrituras. Jovens cristãos muitas vezes perguntam: "Como Deus pode ser um e três ao mesmo tempo?" Deus é um. Mas Deus é três: Pai, Filho e Espírito Santo. E embora este livro seja sobre o Espírito Santo, estou diferenciando-os propositalmente para mostrar-lhe o ser triúno.

Deus é como o sol no céu. Se olhar para seu brilho, verá um sol. Porém, na realidade, é um sol trino que mantém nosso planeta vivo. Há três elementos distintos: o sol, a luz e o calor.

E é assim com a Trindade. O Pai é como todo o sol, Jesus é a luz e o Espírito Santo é o calor que você sente. Quando está na presença do Pai, o que você sente? O calor, a energia e o poder do Espírito Santo. Se olhar para o rosto do Pai, quem você vê? "Quem me vê, vê o Pai", Jesus disse a Filipe (João 14:9).

Fico animado quando penso no momento em que vou entrar no Céu. A Divindade estará lá. Quando eu parar diante do Pai, verei os três — o Espírito, o Filho e Deus.

Como é Deus? Não há nenhum lugar na Palavra de Deus onde o Pai é descrito em detalhes. Estevão, "cheio do Espírito Santo, levantou os olhos para o céu e viu a glória de Deus, e Jesus em pé, à direita de Deus" (Atos 7:55).

Estevão viu Jesus claramente, mas quando viu o Pai, conseguia perceber apenas a "glória" que o cercava. Sim, Deus Pai tem uma forma, mas nenhum homem a conhece (Filipenses 2:6). A Palavra diz: "Ninguém jamais viu a Deus" (João 1:18), mas o Filho veio para revelá-lo.

Se olhar bem para o que Cristo disse, vai entender como o Espírito abraça a Divindade. Jesus falou: "Ninguém vem ao Pai, a não ser por mim" (João 14:6). E as Escrituras ensinam que somos levados ao Cristo pelo Espírito. Em outras palavras, *é preciso ter o Espírito se quiser ter a Divindade.* Quando você abraça o Espírito Santo, também está abraçando o Pai e o Filho.

Nunca vou me esquecer do dia em que o Espírito Santo me revelou que seu reino é igual ao de Jesus. Ele me mostrou nas Escrituras que é chamado de *Senhor.*

Paulo, escrevendo para a igreja em Corinto, disse: "O Senhor é o Espírito e, onde está o Espírito do Senhor, ali há liberdade" (2 Coríntios 3:17). Está certo. Todos confessamos que Jesus é o Senhor — mas o Espírito Santo também. *Ele é o Espírito de Jesus!*

O Espírito Santo é onipresente, mas infelizmente a liberdade não é encontrada em todo lugar. Algumas igrejas parecem mais uma prisão hostil do que uma casa de louvor. Por quê? Porque o Espírito não é o Senhor naquela congregação.

Nunca se esqueça disto: *O Senhor é o Espírito!* No versículo seguinte, Paulo escreve: "E todos nós, que com a face descoberta contemplamos a glória do Senhor, segundo a sua imagem, estamos sendo transformados com glória cada vez maior, a qual vem do Senhor, que é o Espírito" (v. 18).

Como você sabe?

Em seguida, você precisa entender que a Trindade é a glória de Deus. Deus Pai é a glória de Deus; Deus Filho é a glória de Deus; e Deus Espírito Santo é a glória de Deus. Mas quem manifesta essa glória? É o Espírito Santo. Isso é parte de seu trabalho.

Deixe-me fazer outra pergunta. Você sabe que foi salvo dos seus pecados? Bem, como sabe disso? Ouviu uma voz celestial do Céu? Jesus apareceu em um corpo físico e disse: "Você está salvo?"

Como sabe que passou da morte espiritual para a vida? Sabe disso porque o Espírito lhe contou. Sabe com tanta convicção que é capaz de morrer por isso. Por quê? Porque quando o Espírito Santo fala, fala direto em seu ser — dentro de seu sangue e sua medula.

Exatamente da mesma forma, sabemos que Jesus está vivo. Não porque vimos seu rosto, mas sabemos que ele está vivo por causa de seu Espírito. E esse mesmo Espírito é a terceira pessoa da Trindade.

Alguém recentemente me perguntou: "Benny, como você sabe que está salvo?" Tudo que pude responder foi: "Sei que sei, que eu sei, que sei, que sei." Essa é a força, a segurança, que o Espírito Santo me entregou.

O Espírito não é só a voz que você ouve; ele também é o poder que você sente. O profeta Miqueias disse: "Mas, quanto a mim, graças ao poder do Espírito do Senhor, estou cheio de força e de justiça" (Miqueias 3:8). *O Espírito Santo é o poder de Deus.* Até o anjo disse a Maria quando estava prestes a dar à luz Jesus: "O Espírito Santo virá sobre você, e o poder do Altíssimo a cobrirá com a sua sombra" (Lucas 1:35). Ele é esse poder proeminente.

O Espírito Santo é também seu grande defensor. Por exemplo: Quem você acha que o protege dos ataques de Satanás? É o Espírito Santo. "Pois ele virá como uma inundação impelida pelo sopro do Senhor" (Isaías 59:19). Quando você lê esse conhecido versículo, chega à conclusão de que o inimigo vem como uma inundação. Mas tenho uma notícia para você: a enchente é o Espírito Santo, não o Satanás. Veja, em hebraico não existem vírgulas. Mas o tradutor do Rei James colocou uma vírgula depois da palavra *inundação*, e fez com que o inimigo parecesse mais poderoso do que realmente é. O verdadeiro hebraico diz que, quando o inimigo chegar "como uma inundação, o espírito irá contra ele".

"Siga-me!"

Quem o mantém a salvo? O Espírito Santo. Essa é a tarefa designada a ele pelo Cristo. Frequentemente o chamamos de Jesus, mas ele é, na verdade, o Espírito de Jesus. Novamente, só os separamos para o bem da discussão, para que possamos entender melhor, porque são, na realidade, um único Ser. Pois *onde está o Espírito Santo, está Jesus — e também o Pai.* Quando o Espírito Santo conversa com você, todos os três estão conversando, mas o Espírito Santo é aquele que você ouve. O Espírito Santo é aquele que você sente. O Espírito Santo é aquele que o guia de acordo com a vontade do Pai.

Quando ouvi pela primeira vez as palavras de Jesus, "Siga-me", me perguntei como isso seria possível. Seus seguidores deveriam subir com ele na Ascensão? É claro que não. Quando Cristo voltou ao Pai, enviou o Espírito Santo, dizendo: "Ele os guiará" (João 16:13). Jesus estava dizendo: "Parem de me seguir. Estou indo embora, mas agora estou enviando o Espírito Santo. Vocês devem segui-lo." Então por que falamos "Estou seguindo Jesus!", quando o único guia que temos é o Espírito Santo?

Seguindo sua voz

Desde o momento do meu primeiro encontro com o Espírito, sabia que devia seguir sua voz. Havia apenas duas opções. Ou poderia seguir o som de um mundo carnal ou poderia segui-lo: "Quem vive segundo a carne tem a mente voltada para o que a carne deseja; mas quem vive de acordo com o Espírito, tem a mente voltada para o que o Espírito deseja" (Romanos 8:5).

É tão básico quanto a própria vida. Se você deseja a carne, seguirá a carne; mas se seu coração anseia pelo Espírito, será atraído a ele como um ímã. Começa com um desejo. No meu caso, havia uma grande pergunta: "Como posso realmente conhecê-lo?" Aquela pergunta era o grito do meu coração. Minha grande vontade era conhecer o Espírito Santo pessoalmente. Não me decepcionei.

Paulo diz: "Vivam pelo Espírito, e de modo nenhum satisfarão os desejos da carne. Pois a carne deseja o que é contrário ao Espírito; e o Espírito, o que é contrário à carne. Eles estão em conflito um com o outro, de modo que vocês não fazem o que desejam. Mas, se vocês são guiados pelo Espírito, não estão debaixo da Lei" (Gálatas 5:16-18).

Uma coisa incrível aconteceu ao apóstolo Paulo e seus companheiros durante suas viagens missionárias. Eles foram até Frígia e Galácia, tendo sido "impedidos pelo Espírito Santo de pregar a palavra na província da Ásia. Quando chegaram à fronteira da Mísia, tentaram entrar na Bitínia, mas o Espírito de Jesus os impediu" (Atos 16:6,7). Isso mesmo. Estavam tão sintonizados à voz do Espírito que provavelmente disseram: "Bem, se ele não vai, também não vamos."

Mas talvez as palavras mais reveladoras na descrição eram que eles foram mantidos "pelo Espírito Santo". Quando Cristo voltou ao Pai, o Espírito Santo começou a fazer o trabalho do Cristo na Terra.

Você já começou a reconhecer sua voz? Paulo reconheceu. Durante aquela mesma viagem, o Espírito, por meio de uma visão, mostrou ao apóstolo um homem de um país distante, em pé, suplicando-lhe: "Passe à Macedônia e ajude-nos" (v. 9). Paulo partiu imediatamente.

Sua consciência confirma

Como o Espírito Santo fala? Ele dá testemunhos para sua consciência. Na carta de Paulo à igreja em Roma, ele fala: "Digo a verdade em Cristo, não minto; minha consciência o confirma no Espírito Santo" (Romanos 9:1).

Nunca duvide do direcionamento do Espírito Santo. Quando seu "ser interior" estiver com problemas, não se mova. Se tentar ser seu próprio guia, acabará literalmente em colapso. Ouça sua voz quando ele estiver falando com sua alma.

Durante um programa de construção da igreja, fui perguntado: "Como você sabe que está fazendo a coisa certa?" A resposta foi a mesma de quando me perguntaram sobre minha salvação. "Sei que sei, que sei, que sei." O Senhor, por meio do Espírito Santo, me disse para começar a construir. Toda decisão em minha vida está baseada naquela mesma voz interior.

O mundano não tem a mínima noção das coisas do Espírito. Porque são espiritualmente cegos. Mas *você* pode conhecer. Por quê? Porque entende como o Espírito opera e está aprendendo a reconhecer sua voz.

É da mesma forma que sabemos que o Céu é real, apesar de nunca termos cruzado seus portões perolados. Ele se torna vivo para nós pelo Espírito. Ler sobre o Céu na Palavra é maravilhoso, mas não é isso que o torna realidade. Milhões de pessoas leram a Bíblia e ainda serão enviadas à condenação eterna. Por quê? A Palavra não entrou em seus corações.

Aqui está a resposta. Ele nos deu a compreensão de uma nova aliança "não da letra, mas do Espírito; pois a letra mata, mas o Espírito vivifica" (2 Coríntios 3:6).

Para mim é incrível como alguém pode ler as Escrituras e dizer: "Não. Não acho que ele quis dizer isso." Ou, "Ele não realizou aquele milagre realmente." Ou, "Ele não nasceu da

Virgem Maria." O problema é simples; estão pensando com sua mente carnal.

Mas você pode discutir as mesmas questões com absoluta segurança. Não foi o que você leu; foi o que o Espírito Santo contou a você. E pode apostar sua vida nisso!

Se você realmente quer entender como o Espírito Santo fala, leia e releia essas profundas palavras: "O próprio Espírito testemunha ao nosso espírito que somos filhos de Deus" (Romanos 8:16). Como sabemos que é verdade? *Seu* espírito testemunha direto para *nosso* espírito. Novamente, você *sabe que sabe.*

O Espírito Santo é Deus, a testemunha. O que Pedro diz quando os apóstolos foram chamados perante o Sinédrio? "Nós somos testemunhas destas coisas, bem como o Espírito Santo, que Deus concedeu aos que lhe obedecem" (Atos 5:32). É essa contínua confirmação que o manterá no centro da vontade de Deus.

Se há um versículo em particular que o Espírito Santo me revelou, e que transformou minha vida, foi este: "A graça do Senhor Jesus Cristo, o amor de Deus e a comunhão do Espírito Santo sejam com todos vocês" (2 Coríntios 13:14).

O Espírito me apresentou esse versículo diversas vezes. E quanto mais eu o estudava, mais animado ficava. De repente, sabia que o Espírito Santo era para mim — hoje.

Aqui está o que o Espírito Santo me mostrou. Quando conhecemos "a graça do Senhor Jesus Cristo"? Quando ele morreu por nós. Quando conhecemos "o amor de Deus"? Quando vimos a cruz. Os dois se referem ao passado. Mas depois lemos: "A comunhão do Espírito Santo *esteja* com todos vocês." Eu falei: "É isso. O Espírito Santo está aqui para comungar comigo e *estar* comigo, agora!"

Que comunhão!

O que as Escrituras querem dizer quando falam sobre "comunhão"? Há sete significados.

Primeiro, a palavra comunhão significa *presença*. O desejo do Deus Pai é que a doce presença do Espírito Santo esteja com você.

Segundo, significa *companheirismo*. Você não precisa orar para o Espírito Santo; simplesmente torna-se companheiro dele. E deveria procurar essa comunhão como procuraria água no deserto.

O terceiro significado é *compartilhar*. Você abre seu coração e ele abre o dele. Você compartilha sua alegria e ele compartilha a dele. "Pareceu bem ao Espírito Santo e a nós..." escreveram os apóstolos aos crentes na Antioquia (Atos 15:28). Estavam compartilhando — até escrevendo cartas — juntos.

Quarto, comunhão significa *participar com*. O Espírito Santo se torna seu parceiro. A Escritura, cheia de frases como "trabalhando com eles" e "o Espírito e nós", deixa claro que o trabalho do Espírito está participando com você.

Quinto, significa *intimidade*. Você nunca experimentará um amor mais profundo com Cristo até saber que é o Espírito Santo que traz essa intimidade. Não há outra forma. Deus "derramou" seu amor em nossos corações "por meio do Espírito Santo que ele nos concedeu" (Romanos 5:5). Não é possível amar a Deus sem o Espírito Santo.

Sexto, a palavra significa *amizade*. O Espírito quer ser seu amigo mais íntimo, alguém com quem você pode compartilhar os mais profundos segredos de seu coração.

E sétimo, comunhão significa *camaradagem*. Em grego, a palavra significa "comandante". Ele é como um capitão, um governante ou um chefe — mas alguém amoroso e amigo. Assim como instruiu os apóstolos para onde deveriam ir e para onde não deveriam, ele deve ter a permissão para guiar suas questões pessoais. Lembre-se, desde que Cristo partiu, o Espírito Santo está "no comando" da Terra.

Você consegue ouvir sua voz? Está pronto para comungar com ele?

Quando comecei minha comunhão com o Espírito Santo, conversava com ele dia e noite. Não passava um dia sem dizer "Espírito Santo. Precioso Espírito Santo." E começamos nosso tempo de oração e comunicação.

Oh, o som de sua voz.

Seis

Espírito, alma e corpo

Satanás, o grande enganador, fez um trabalho incrível.

Ele convenceu o mundo — mesmo ministros dedicados ao Evangelho — de que o Espírito Santo não é nada mais do que uma influência ou um poder especial. Esse engano é uma prioridade de Satanás porque ele sabe que no momento em que você descobrir a personalidade e a realidade do Espírito, sua vida será dramaticamente transformada.

É só olhar para a história. Toda grande revitalização foi acompanhada por uma revelação do Espírito Santo. Mesmo Martinho Lutero credita a grande Reforma ao trabalho do Espírito. Ele disse que o Gálatas era seu livro favorito nas Escrituras por causa do versículo que diz: "Vivam pelo Espírito, e de modo nenhum satisfarão os desejos da carne" (Gálatas 5:16).

Mas hoje, poucas pessoas sabem o que significa "andar" no Espírito. A raiz da palavra significa em união com, uno com ou conectado a — até em comunhão com. É surpreendente, mas pessoas que foram criadas em uma igreja "preenchida com o espírito" me perguntaram: "Eu devo conversar com o Espírito?"

Recentemente, fui convidado para falar em uma grande e histórica igreja pentecostal, e a congregação ficou chocada quando eu disse: "Vocês são os que redescobriram o Espírito Santo, mas o colocaram em uma gaiola." Expliquei: "Acharam que os católicos não podiam tê-lo. Acharam que os batistas não podiam tê-lo. Mas tenho uma notícia para vocês. Ele saiu da gaiola e caminhou para as igrejas de São Miguel, Primeira Batista, Metodista Unida e todas as outras."

Milhões de pessoas foram tocadas pelo Espírito, mas seu crescimento espiritual foi impedido pelo clero que, por diferentes razões, decidiu subordinar a terceira pessoa da Trindade.

Infelizmente, a Igreja de Jesus Cristo tem ignorado o que estou lhe dizendo. O fato de estar lendo este livro, no entanto, me diz que você tem uma vontade pessoal de conhecer o Espírito Santo. Você pode ser "preenchido" com o Espírito e possuir um encontro inegável com ele, mas uma compreensão profunda do Espírito Santo não surge da noite para o dia. Para mim, demorou anos e anos de seu direcionamento e de revelação nas Escrituras. E ainda estou aprendendo a cada dia.

A divindade

O que estou prestes a compartilhar com você em relação à Divindade me deu uma imagem totalmente nova do Pai, do Filho e do Espírito Santo. Descobri que Deus é um espírito eterno, ainda que com forma imaterial, mas ele frequentemente se revela pela forma e outras características humanas.

Deus Pai

O que dizer da forma que Deus frequentemente aparece ao homem? Quando Ezequiel teve sua visão de Deus em 593 a.C., descreveu-o sentado sobre uma expansão que separava as criaturas da glória do Senhor. Ele viu "o que parecia um trono de safira e, bem no alto, sobre o trono, havia uma figura que parecia um homem" (Ezequiel 1:26). Qual era a aparência de Deus Pai? A de um homem.

Você diz: "Ensinaram-me que Deus é espírito." Sim, mas é espírito com uma forma misteriosa, não uma nuvem flutuando no espaço. O apóstolo João, no Apocalipse, descreveu-o como o brilho refletido de pedras preciosas. Ele escreveu: "Imediatamente me vi tomado pelo Espírito, e diante de mim estava um trono no céu e nele estava assentado alguém. Aquele que estava assentado era de aspecto semelhante a jaspe e sardônio" (Apocalipse 4:2,3).

Os profetas descrevem as feições de Deus com grande detalhe. Isaías diz: "Seus lábios estão cheios de ira, e sua língua é fogo consumidor. Seu sopro é como uma torrente impetuosa que sobe até o pescoço" (Isaías 30:27,28).

E Deus revelou o fato de que ele pode ver. "Fizeram o mal diante de mim" (Isaías 66:4).

Para minha surpresa, descobri que Deus está descrito como tendo a semelhança de dedos, mãos e rosto. Depois que o Senhor falou com Moisés no Monte Sinai, entregou-lhe as tábuas de pedra "escritas pelo dedo de Deus" (Êxodo 31:18). Depois o Senhor disse a Moisés: "Você não poderá ver a minha face, porque ninguém poderá ver-me e continuar vivo" (Êxodo 33:20).

Até falou com Moisés sobre suas "costas". Ele disse: "Quando a minha glória passar, eu... o cobrirei com a minha mão até que eu tenha acabado de passar. Então tirarei a minha mão e você verá as minhas costas; mas a minha face ninguém poderá ver" (v. 22,23).

Se Deus se revelasse somente na forma de um espírito invisível, como seria possível que Adão e Eva ouvissem seus passos? "Ouvindo o homem e sua mulher os passos do Senhor Deus que andava pelo jardim quando soprava a brisa do dia" (Gênesis 3:8).

Deus também possui um coração: "Então o Senhor arrependeu-se de ter feito o homem sobre a terra, e isso cortou-lhe o coração" (Gênesis 6:6).

Como um "fogo ardente"

Agora, vejamos o Filho.

Antes de o Senhor Jesus vir à Terra, ele, com Deus Pai, tinha somente uma forma imaterial. Seu corpo terreno de carne, sangue e ossos lhe foi dado quando nasceu como um bebê em Belém. E, como você, ele cresceu para se tornar um homem.

Se eu perguntasse: "Entre o Pai, o Filho e o Espírito Santo, quem é uma pessoa real?" — a maioria das pessoas diria o Filho. Podemos nos identificar com Cristo porque ele assumiu a forma de um ser humano. Na verdade, se você não acreditar que Cristo viveu, morreu e ressuscitou dos mortos, será impossível para você ser um cristão. Esse é o fundamento que torna possível sua salvação.

A Bíblia deixa claro que Jesus — parte da Divindade — tem uma alma. No Getsêmani, antes da crucificação, ele falou aos discípulos: "A minha alma está profundamente triste, em uma tristeza mortal" (Marcos 14:34).

Temos uma descrição física de Cristo que molda nossa imagem dele. Sabemos, por exemplo, que usava barba e tinha cabelo comprido. Na profecia do Antigo Testamento que se refere ao sofrimento do Messias, o Senhor diz: "Ofereci minhas costas àqueles que me batiam, meu rosto àqueles que arrancavam minha barba" (Isaías 50:6). Cristo era também um nazareno, de uma cidade onde os homens costumavam usar cabelos compridos.

Hoje, Cristo em seu corpo ressuscitado está sentado à direita de Deus Pai. E como é sua aparência? No Apocalipse, João teve uma visão dele "com uma veste que chegava aos seus pés e um cinturão de ouro ao redor do peito. Sua cabeça e seus cabelos eram brancos como a lã, tão brancos quanto a neve, e seus olhos eram como chama de fogo... Sua face era como o sol quando brilha em todo o seu fulgor" (Apocalipse 1:13,14, 16). Em sua cabeça havia "coroa de ouro" (Apocalipse 14:14). E em seu manto estavam escritas as palavras "REI DOS REIS E SENHOR DOS SENHORES" (Apocalipse 19:16).

João não está falando de Deus Pai. É o "Filho do homem". E seu corpo humano glorificado é diferente da forma divina de Deus Pai.

Uma mente própria

Mas e o Espírito Santo? Ele também possui uma mente, uma vontade e emoções? Ele possui um corpo? Certamente. Esse é um assunto que a maioria dos ministros tem medo de discutir, mas eu tenho experimentado a pessoa do Espírito Santo.

Sem dúvida, todos concordamos que ele é um "Espírito". Isso é parte do seu nome. Mas e seu ser interior? Ele é realmente uma "pessoa"?

Primeiro, o Espírito Santo tem uma mente própria. Falando do Espírito Santo, Paulo disse: "E aquele que sonda os corações conhece a intenção do Espírito, porque o Espírito intercede pelos santos de acordo com a vontade de Deus" (Romanos 8:27). A mente do Espírito é diferente daquela do Pai e do Filho.

Ele também possui emoções. Possui sentimentos profundos que lhe permitem sentir tristeza e amor: "Não entristeçam o Espírito Santo de Deus, com o qual vocês foram selados para o dia da redenção" (Efésios 4:30). Seu coração pode ser tocado e possui a capacidade de expressar amor. Paulo, escrevendo aos cristãos em Roma, disse: "Recomendo-lhes, irmãos, por nosso Senhor Jesus Cristo e pelo amor do Espírito, que se unam a mim em minha luta, orando a Deus em meu favor" (Romanos 15:30). Você consegue imaginar amar sem emoção?

A pessoa do Espírito

E sobre a *vontade* do Espírito Santo? Talvez você nunca tenha considerado possível que o Espírito Santo tome suas próprias decisões. Ele certamente pode, mas suas decisões estão sempre em harmonia com as do Pai e as do Filho. Falando em dons espirituais, Paulo escreveu: "Todas essas coisas, porém, são realizadas pelo mesmo e único Espírito, e ele as distribui individualmente, a cada um, como quer" (1 Coríntios 12:11). Em outras palavras, o Espírito Santo toma decisões.

Pombas e cordeiros

Essa é a questão do "corpo" do Espírito Santo, que causa muita confusão. Um homem recentemente me disse: "Benny, o corpo do Espírito Santo é realmente o de uma pomba. Foi assim que ele desceu dos céus." Eu respondi: "Se isso é verdade, então você deve acreditar que Jesus era realmente um cordeirinho. É assim que ele é apresentado no Apocalipse."

No livro do Apocalipse, o apóstolo João ouviu um ancião dizer: "Não chore! Eis que o Leão da tribo de Judá... venceu" (Apocalipse 5:5). Ele se virou, esperando ver um leão rugindo, e em vez disso viu um gentil cordeiro que tinha sido morto. Agora, Jesus subiu ao céus com um corpo físico, com impressões digitais em suas mãos. Mas o símbolo que João viu era um cordeiro. Por quê? O cordeiro simbolizava o Cordeiro de Deus — Jesus Cristo.

O Espírito Santo foi visto por Jesus imediatamente após o seu batismo: "O céu se abriu, e ele viu o Espírito de Deus descendo como pomba e pousando sobre ele" (Mateus 3:16). Assim como o Pai e o Filho podem ser vistos, o Espírito Santo também pode. Mas sua descida como uma linda pomba não significa que ele voa pelo Céu como uma pomba. Nem que Jesus caminha pelo Céu com o corpo de um cordeiro.

No Apocalipse, o Espírito Santo foi visto novamente como "sete lâmpadas" de fogo (Apocalipse 4:5). Se o Espírito apareceu como uma pomba em Mateus, não se pode esperar que ele tenha um corpo de sete velas ou sete tochas de fogo. O Espírito Santo não tem a forma de sete lâmpadas, nem de uma pomba. Um cordeiro, uma pomba, uma lâmpada — *tudo isso são símbolos,* não formas físicas de corpos.

Ouvir, falar, ver

As Escrituras, no entanto, me dizem que o Espírito Santo pode se comunicar apesar de não ter orelhas ou boca. Certamente pode ouvir e falar conosco: "falará apenas o que ouvir" (João 16:13). E devemos ouvi-lo: "Aquele que tem ouvidos ouça o que o Espírito diz" (Apocalipse 2:7). Mesmo não tendo olhos como os meus, "O Espírito sonda todas as coisas, até mesmo as coisas mais profundas de Deus" (1 Coríntios 2:10). Como você foi criado com orelhas, uma boca e olhos, não seria de esperar que o Criador — Pai, Filho e Espírito Santo — fosse capaz de entender e falar com você?

Também acredito que o Espírito Santo pode fazer sua presença conhecida por meio de formas corporais, e ainda permanecer sem limitação e completamente onipresente. A Bíblia deixa isso claro quando diz: "O Espírito de Deus se movia sobre a face das águas" (Gênesis 1:2).

Mas a Bíblia não me fala como ele "se parece". Ela me diz um pouco como o Pai se revela. E me dá alguma descrição de Cristo. Mas detalhes em relação à maneira que o Espírito Santo se revela a nós são raras nas Escrituras. Às vezes, ele é visto, mas não ouvido; outras vezes é ouvido, mas não visto. Em vários momentos, no entanto, ele pode revelar sua presença e mensagem por qualquer forma que quiser.

Uma semelhança impressionante

"Qual é a aparência de Deus Pai?" Apesar de nunca tê-lo visto assumir uma aparência física e visível, acredito — da mesma forma como o Espírito Santo — que pode ter a mesma aparência de Jesus na Terra. Na verdade, muitos traços de caráter divino são conhecidos por meio da natureza humana, que é criada à imagem de Deus (Gênesis 1:26,27; Tiago 3:9).

Os hebreus falam de Cristo como "o resplendor de sua glória e a expressão exata do seu ser" (Hebreus 1:3). Só posso chegar a uma conclusão: Quando vemos Jesus, vemos também o Pai. E acredito que Jesus revela o Espírito Santo como faz com o Pai. Olhe para Jesus e também verá o Espírito.

Algum dia, em breve, vou ter certeza. E acredito que você esteja planejando estar lá também.

Novamente, o Espírito Santo não é uma brisa celestial ou uma nuvem obscura flutuando pela sua vida. Ele é Deus e reside em nós — da mesma forma que o Pai e o Filho na Trindade. Paulo, escrevendo para a igreja de Corinto, disse: "Vocês não sabem que são santuário de Deus e que o Espírito de Deus habita em vocês? Se alguém destruir o santuário de Deus, Deus o destruirá, pois o santuário de Deus, que são vocês, é sagrado" (1 Coríntios 3:16,17). Ele está dizendo que o Espírito vive no templo de Deus. Somos aquele templo, e o Pai e o Espírito estão igualmente em nós.

Igual ao Pai e ao Filho

O Espírito Santo não é simplesmente uma pessoa, diferente do Pai e diferente do Filho. Ele é muito mais. Ele é Deus, igual ao Pai e a Cristo.

Primeiro, descobrimos que *o Espírito Santo é onipresente*. Em outras palavras, ele pode estar em todos os lugares ao mesmo tempo. Os "Espíritos" não são onipresentes, mas o Espírito Santo é. Ele é tão real em Los Angeles quanto em Leningrado. Tão vivo. Tão cheio de glória.

Agora, algumas pessoas têm problemas desnecessários com Satanás. Acham que o diabo é onipresente. Deixe-me assegurar-lhes que ele não é. Satanás não pode estar em todos os lugares ao mesmo tempo. Por quê? Porque os anjos não podem estar em todos os lugares ao mesmo tempo, e o diabo era um anjo, um arcanjo. Os anjos Miguel ou Gabriel não são onipresentes, nem Satanás.

A onipresença do Espírito Santo é descrita nos Salmos:

> Para onde poderia eu escapar do teu Espírito?
> Para onde poderia fugir da tua presença?
> Se eu subir aos céus, lá estás;
> se eu fizer a minha cama na sepultura também lá estás.
> Se eu subir com as asas da alvorada
> e morar na extremidade do mar,
> mesmo ali a tua mão direita me guiará e me susterá.
> (Salmo 139: 7-10)

Mas ele não é apenas onipresente; *o Espírito Santo é onipotente* — Todo-Poderoso. O anjo disse a Maria: "O Espírito Santo virá sobre você, e o poder do Altíssimo a cobrirá com a sua sombra" (Lucas 1:35). O poder do "Altíssimo" fala do Espírito de Deus. Esse mesmo poder do Altíssimo é o Espírito Santo e ele é onipotente. Todo-glorioso. Todo-Poderoso. Deus Todo-Poderoso!

O Espírito Santo também é onisciente. Ele sabe tudo. Fico muito feliz quando leio as palavras:

> *"Olho nenhum viu, ouvido nenhum ouviu,*
> *mente nenhuma imaginou*
> *o que Deus preparou para aqueles que o amam."*

Mas Deus o revelou a nós por meio do Espírito. O Espírito sonda todas as coisas, até mesmo as coisas mais profundas de Deus. Pois, quem conhece os pensamentos do homem, a não ser o espírito do homem que nele está? Da mesma forma, ninguém conhece os pensamentos de Deus, a não ser o Espírito de Deus (1 Coríntios 2:9-11).

Pense nisso! O Espírito Santo na verdade busca a mente de Deus. Ele encontra o que está lá e mostra a você. Ele diz: "Eis o que encontrei." Como ele pode procurar as "coisas profundas de Deus"? Porque ele tudo sabe.

Há algo mais que você precisa conhecer sobre Satanás. Ele não pode ler sua mente. Os anjos não podem ler sua mente e o diabo é um anjo. Se pudesse ler sua mente, seria um espírito onisciente. Mas esse lugar está reservado para o Pai e o Espírito Santo. Satanás não pode ler sua mente.

Devemos louvá-lo?

Aqui está uma pergunta importante a que devo responder. Se o Espírito Santo é onipresente, se é onipotente, se é onisciente, devemos louvá-lo como Deus? Ele merece nosso louvor e adoração?

Os cristãos enfrentam um grave problema quando entramos no tópico do louvor ao Espírito. É um assunto que eles preferem não discutir. E se você lhes perguntar: "Por que vocês não adoram o Espírito Santo?", parece que não conseguem encontrar uma resposta. Oh, falarão algo como: "Porque não se supõe que façamos isso."

Para ser honesto, tive o mesmo problema. Por quê? Porque o diabo me enganou, como faz com muitos. Pensava: "Como posso adorá-lo? Não foi assim que me ensinaram."

No entanto, o Espírito Santo é muito mais do que um pássaro voando no céu que lhe dá uma experiência pentecostal. Se ele é todas as coisas que estivemos discutindo — igual ao Pai e ao Filho, então ele deve ser adorado. Afinal, não adoramos ao Pai? E não adoramos ao Filho?

Você pode se perguntar: "Como o Espírito Santo deveria ser adorado?" Bem, como você adora a Deus Pai? E como adora ao Filho? Não deve haver diferença. Deve banhá-lo com sua devoção e seu amor.

A Bíblia nos conta que a Divindade — Pai, Filho e Espírito — é autoexistente. "Quanto mais o sangue de Cristo, que pelo Espírito eterno se ofereceu de forma imaculada a Deus, purificará a nossa consciência de atos que levam à morte para que sirvamos ao Deus vivo!" (Hebreus 9:14).

Quando aprendemos sobre os anjos, descobrimos que eles estão presentes somente por causa da existência de Jesus. Mas eu tenho uma novidade para você. Deus Espírito Santo pode ser chamado de "Eu Sou", da mesma forma que Deus Pai e Deus Filho.

Óleo, água, nuvens e luz

Desde o meu primeiro encontro com o Espírito Santo, experimentei a realidade crescente de sua presença. Cada passagem da Escritura, cada encontro e cada revelação faz minha caminhada no Espírito mais completa.

Recentemente, durante um período de estudo na Palavra, falei para minha esposa: "Sabe, sinto a presença de Deus sobre mim." Eis o que me tocou aquela noite enquanto estava traçando os sentidos das palavras e sua conexão com o Espírito.

Estava me perguntando: "O que realmente significa 'entristecer'" o Espírito?

O que aprendi foi que o Espírito Santo não é só um espírito que pode ter forma. *Ele é tão real que pode ter resistência.* Muitas pessoas acham que o Espírito Santo é um vento. Mas ele não é. Essa é somente outro de uma longa lista de símbolos descritivos usados para comunicar sobre o Espírito — óleo, água, pomba, luz e muitos mais. Certamente não significa que ele se pareça com esses símbolos.

O vento é invisível aos olhos, mas não é possível resistir a ele. A palavra *resistir* significa se opor. Não é possível se opor ao vento. Tente enfrentar o vento e ele passará por você. Mas você pode se opor ao Espírito Santo. Pode até impedi-lo de trabalhar. Estevão, em seu discurso ao Sinédrio, citou Moisés, dizendo: "Povo rebelde, obstinado de coração e de ouvidos! Vocês são iguais aos seus antepassados: sempre resistem ao Espírito Santo!" (Atos 7:51).

Opuseram-se a ele e, infelizmente, tiveram sucesso. Lembre-se disto: não dá para resistir ao vento, ao óleo ou até à pomba que simplesmente voará para longe, mas *é possível resistir a uma pessoa* — e é isso que o Espírito Santo é.

Depois tracei as palavras *sofrer* e *sofrimento* no original grego. A raiz da palavra é *loopa*. E aqui está seu significado: sentir dor no corpo e na mente. Significa sofrer angústia mental e física.

O Espírito Santo é uma pessoa ou Paulo não teria dito: "Não entristeçam o Espírito Santo de Deus" (Efésios 4:30). O Espírito Santo não fica apenas magoado. A mágoa opera no nível das emoções. Ele *sofre* e isso vai mais fundo.

E não é somente isso, mas o Espírito Santo pode ser *apagado*. A palavra significa matar. Paulo avisou a igreja de Tessalônica. "Não apaguem o Espírito" (1 Tessalonicenses 5:19). Não se pode apagar o vento ou outros símbolos. Mas se pode parar uma pessoa. E é isso que o Espírito Santo é.

Tão facilmente ferido

Você também precisa perceber que o Espírito Santo pode ser afligido e atormentado. Ele pode ser *irritado*. Isaías falou sobre a benignidade do Senhor e sua misericórdia em relação a Israel: "Apesar disso, eles se revoltaram e entristeceram o seu Espírito Santo. Por isso ele se tornou inimigo deles e lutou pessoalmente contra eles" (Isaías 63:10). É difícil imaginar, mas é verdade. O Espírito Santo pode ser atormentado por seres humanos.

Na linguagem original, irritar traz o sentido de cansar, perturbar, até afligir. Somente uma pessoa pode se tornar o alvo de tais tormentos.

Um vento forte não pode ser aquietado, mas o Espírito Santo pode: "Veja, os que foram para a terra do norte deram repouso ao meu Espírito" (Zacarias 6:8). O Espírito Santo é uma pessoa que responde a seus desejos. Pode mandá-lo ficar quieto e ele obedecerá. Mas depois você corre o risco de entristecê-lo.

Muitas vezes em reuniões públicas, vi o Espírito Santo prestes a falar e depois se calar por causa de alguma manifestação carnal. Nestes momentos sagrados, senti o Espírito Santo se retirando.

O Espírito Santo não é um lutador; é uma pessoa amorosa. Se você resiste a ele, acabará indo embora. Não é como Satanás, que a Bíblia afirma que "foge" se você resistir. O Espírito Santo não fugirá de medo, mas deixará sua presença com o coração ferido. Se ele se entristecer, se retirará gentilmente. Se é apagado, partirá em silêncio. Como é trágico pensar que as pessoas podem atormentar ou tentar silenciar uma pessoa tão amorosa. Mas elas fazem isso. Os Filhos de Israel fizeram. E hoje, enquanto ele ainda anseia por nosso amor e nossa companhia, nós o ferimos com nossa ignorância e rebelião.

Ainda consigo ouvir Kathryn Khulman, em Pittsburgh, chorando com tanta agonia: "Por favor! Não o entristeçam. Ele é tudo que tenho."

Sete

Vento para suas velas

"Se você vir um bêbado do mesmo lado da rua, cruze para o outro lado." Esse era o conselho que meu pai dava às crianças Hinn em minha infância na Terra Santa.

Toda manhã, meus irmãos e irmãs caminhavam comigo para a escola católica. E claro que isso aconteceu — mais de uma vez. Quase por instinto, sem uma palavra, lembrávamos do conselho de papai e atravessávamos para o outro lado da rua até passarmos pelo bêbado.

Como sabíamos que ele estava intoxicado? Bem, não íamos até ele e perguntávamos: "O senhor está bêbado?" Ou, "Deixe-me cheirar seu bafo!" Claro que não. Embora fôssemos crianças, sabíamos que estava embriagado. Tudo nele nos dizia — o jeito que andava, o olhar em seu rosto, suas roupas desarrumadas. Como dizem na Inglaterra, ele estava como "uma folha ao vento".

A verdade sobre seu comportamento ímpio era simplesmente esta: Ele estava sendo controlado pelo poder errado. Entregara-se à influência errada.

O apóstolo Paulo não poderia ter sido mais contundente do que quando disse: "Não se embriaguem com vinho, que leva à libertinagem, mas deixem-se encher pelo Espírito" (Efésios 5:18). Que contraste entre a vida desregrada e a vida reta. A embriaguez, adverte Paulo, leva a ações ímpias. Mas se um homem ou uma mulher podem ser controlados pelo álcool, quanto mais o Espírito Santo pode controlá-los?

É difícil determinar quem está no controle? De jeito nenhum. Todo dia você conhece pessoas cujas mentes e corações estão a anos-luz de Deus. É óbvio. Você ouve isso em sua linguagem. Vê em suas ações. É como se o próprio Satanás estivesse guiando cada movimento de suas vidas.

A vida preenchida pelo Espírito

E quanto à pessoa que teve um encontro com o Espírito Santo? Quais são os sinais externos da vida preenchida pelo Espírito? Há muitos e a transformação é surpreendente. Além de qualquer explicação. De repente, "manifestações" positivas começam a se multiplicar.

Logo depois de dizer "deixem-se encher pelo Espírito", Paulo descreve quatro resultados distintos que se pode esperar. É como plantar sementes no solo do Espírito e colher uma safra celestial.

Você será mudado

A primeira manifestação que se pode esperar de uma vida preenchida pelo Espírito é esta: *Seu discurso será diferente.* O apóstolo disse que deveríamos falar "falando entre si com salmos" (Efésios 5:19). Você pode imaginar que mundo incrível seria se nossas conversas se parecessem com o que lemos nos Salmos?

Um estudo recente mostrou que de todas as palavras no idioma inglês, a palavra mais frequentemente usada é *eu*. Mas o cristão guiado pelo Espírito tem um novo vocabulário. Não é autocentrado. É centrado em Deus. De repente, você está dizendo: "Louvem a Deus" (Salmo 150:1) e "Tudo o que tem vida louve o Senhor" (v. 6).

Eis o segundo sinal que você deve esperar, segundo Paulo: *Você terá uma nova canção.* Ele diz que você estará "cantando e louvando de coração ao Senhor" (Efésios 5:19). É muito mais do que uma nova canção — é uma mudança que acontece no seu coração. Quando você se transformar interiormente, uma melodia surgirá. É uma reação espontânea. Não afirmo ser cantor, mas tive uma canção em meus lábios desde o momento em que me encontrei com o Espírito Santo.

A terceira manifestação é que *você vai começar a dar graças:* "dando graças constantemente a Deus Pai por todas as coisas, em nome de nosso Senhor Jesus Cristo" (v. 20). De repente, começará a agradecê-lo por tudo. Vai agradecê-lo pelo que é bom e pelo que não é tão bom assim. Você reconhece que Aquele que concede todos os dons sabe exatamente o que você precisa. O resultado é uma transformação da sua atitude. Não importa o que aconteça, você vai dizer: "Obrigado".

O quarto sinal óbvio é que *se tornará um servo.* Paulo diz: "Sujeitem-se uns aos outros, por temor a Cristo" (v. 21). Isso é o que significa "honrar uns aos outros em amor". Seu coração terá ânsia por ajudar as pessoas. O Espírito Santo o levará a um lugar onde você dirá: "Pode deixar — eu farei!"

O que significa estar "preenchido pelo Espírito"? Algumas pessoas acham que é exatamente o mesmo que dirigir um Honda para um posto de gasolina e encher o tanque de combustível. Mas não é nada disso.

Tenho uma garrafa de óleo em meu púlpito. Eu o utilizo, exatamente como mandam as Escrituras, para ungir aqueles que vêm para serem curados. É um recipiente pequeno e simples, e está cheio de azeite. Mas quando a utilizo, ela acaba. A garrafa não volta a se encher.

A palavra "encher" em Efésios não tem conexão com uma garrafa ou um vaso sendo preenchidos. O tempo [verbal] presente em grego é usado para falar que a plenitude do Espírito não é uma experiência feita de uma só vez. É uma experiência *contínua.*

Você já passou um dia em um barco? É muito emocionante. O que acontece ao barco quando as velas se enchem de ar? O barco começa a se mover. É o que Paulo está lhe dizendo. Ele quer que você seja preenchido, não como um recipiente que não possui ação, mas como uma vela que continua a ser preenchida pelo vento. Várias vezes. Ele quer que você siga em frente com uma brisa infinita do Espírito preenchendo suas velas espirituais.

"Quem você pensa que é?"

Ser preenchido com o Espírito Santo causa ação. Acontece no seu discurso, no seu coração, na sua atitude e na sua atividade. Que mudança! Agora suas palavras são edificantes, há harmonia em seu coração, você dá graças ao Senhor, e serve às pessoas com sinceridade e humildade.

Como pode um homem ou uma mulher cheios do Espírito falar profanações? Como pode ele ou ela ter um coração cheio de ciúmes, amargura e crítica? Uma pessoa preenchida com o Espírito não diz: "Quem você pensa que é para mandar em mim?" Ou "Como Deus pode me tratar dessa forma?" Esses são sinais de uma pessoa autocentrada que está "vazia do Espírito", não "cheia do Espírito".

Quando Cristo voltou ao Pai, ele não queria que você ficasse por sua própria conta. A ajuda estava a caminho! Afinal, não é o *seu* poder ou a *sua* força que é importante: "Não por força nem por violência, mas pelo meu Espírito, diz o Senhor dos Exércitos" (Zacarias 4:6).

É pelo Espírito que você é capaz de glorificar a Jesus. É pelo Espírito que seu coração é preenchido com música. É pelo Espírito que você é capaz de dizer: "Jesus, agradeço-lhe por tudo." E é pelo Espírito que você é fortalecido para dizer: "Eu o perdoo."

Como o amor de Deus é "derramado em nossos corações"? Pelo Espírito Santo.

Você nunca viu o vento, mas certamente viu os resultados do vento. A árvore se curva. A bandeira tremula. E o barco começa a se mover. Oh, a força disso.

Você não tem de ver o Espírito Santo para saber que ele está vivo. Pode *sentir* a evidência no poder que ele lhe dá. Depois que ele o preenche, procurar uma confirmação é um exercício de futilidade. Uma vez, um homem me perguntou: "Benny, diga-me. Estou preenchido com o Espírito?"

Respondi: "Irmão, se você não sabe, então *não* está!" Você não tem de perguntar quando vê os resultados. Aqueles que questionam seu preenchimento, nunca o receberam.

Começa com a salvação

Você pode perguntar: "Como me torno cheio do Espírito Santo? Se falo em línguas, esse é o sinal?"

O Espírito Santo está presente a partir do momento em que você pede ao Senhor Jesus Cristo que perdoe seus pecados e limpe seu coração. Se você não acredita nisso, não entende a Trindade. Como Paulo escreveu para Tito: "Ele nos salvou pelo lavar regenerador e renovador do Espírito Santo, que ele derramou sobre nós generosamente, por meio de Jesus Cristo, nosso Salvador. Ele o fez a fim de que, justificados por sua graça, nos tornemos seus herdeiros, tendo a esperança da vida eterna" (Tito 3:5-7).

Mas agora estamos falando sobre o preenchimento do Espírito Santo com a evidência que tem sido experimentada, literalmente, por centenas de milhões de pessoas em todo o mundo. As estatísticas são esmagadoras. Sei que alguns ainda gostam de discutir sobre esse ponto, mas *um homem que já passou pela experiência nunca fica à mercê de um homem com um argumento.*

Nunca me esquecerei dos primeiros dias depois que renasci. Era como uma criancinha — e você sabe o que dizem sobre bebês. Estão sempre caindo, chorando e pedindo ajuda. Esse era eu. Na verdade, compartilhava com um homem na igreja a mesma dúvida que tinha ouvido tantas vezes antes. Falei:

— Oh, estou tão dividido.

Ele perguntou:

— O que tem de errado?

Ao que respondi:

— Não tenho certeza se fui preenchido pelo Espírito. — Eu não tinha.

— Benny, você pediu?

— Sim, senhor.

— É tudo que precisa fazer.

Bem, veja, eu era um bebê em Cristo. Não sabia o que sei hoje. Realmente não sabia o que estava procurando, mas ouvi alguém dizer: "Se você falar em línguas, é tudo que se precisa."

Como aprendi mais tarde, falar em línguas é somente *um* dos dons. Você não precisa tanto dos dons quanto quem os *distribui*. Paulo escreveu para a igreja em Roma: "Pois os dons e o chamado de Deus são irrevogáveis" (Romanos 11:29). Os dons nunca nos deixarão, mas o poder de quem os entrega pode ser retirado — e será retirado se o entregador ficar negligenciado e entristecido.

Nunca se esqueça o que aconteceu ao Rei Saul. O Senhor disse: "Arrependo-me de ter posto Saul como rei, pois ele me abandonou e não seguiu as minhas instruções" (1 Samuel 15:11). E quando Davi foi indicado por Samuel para se tornar o novo rei: "O Espírito do Senhor se retirou de Saul" (1 Samuel 16:14).

Entrega

Como você remenda suas velas?

Você pode perguntar: "Como eu deveria me aproximar do Espírito? Como posso me preparar para recebê-lo?"

Talvez eu deva lhe fazer uma ou duas perguntas. O seu navio está pronto para zarpar? Apto a navegar? Você remendou as velas? Elas estão prontas para receber o vento do Espírito quando ele começar a soprar sobre você?

É como se preparar para o casamento. Você passa um tempo pensando e se preparando para aquele momento em que ficará diante do altar sagrado. Então você faz um voto de "até que a morte nos separe". Você realmente *se entrega* a sua esposa. É um ato altruísta de rendição amorosa. E a partir daquele momento, um vínculo único de comunhão é criado e conhecida somente pelo marido e pela esposa.

Mas o que acontece quando você retira aquela parte de si que estava comprometida com o casamento? "Não pode ter isso! É meu!" E se sua esposa fizer o mesmo? Isso poderia criar uma barreira no seu relacionamento. A união começaria a ser destruída. A comunhão começaria a faltar. Somente a entrega total traz comunhão total. É o que produz amor e compreensão.

Só há uma forma de restaurar um relacionamento rompido. Como a vela no barco, você não pode permanecer tenso e nervoso. Ao contrário, você deve estar flexível e *ceder* — na verdade, entregar-se a um novo preenchimento de amor.

No momento em que você se entrega ao Senhor, ele vai preenchê-lo com seu Espírito. Não é preciso implorar pelo preenchimento. E não exige um balde de lágrimas. Só é preciso de uma entrega total a Cristo e uma vontade de abraçar seu precioso Espírito Santo.

A entrega total traz plenitude total, e submissão total traz comunhão total. Mas, assim como em um casamento, você precisa trabalhar nisso diariamente: "Jesus, amo você"; "Deus Pai, adoro você"; "precioso Espírito Santo, anseio pela sua comunhão." Se você negligenciar essa comunicação um só dia, da próxima vez é um pouco mais difícil.

Como uma faca afiada

O que acontece a um casamento quando um cônjuge ignora o outro? Depois de um curto período de tempo, a amargura começa a entrar no coração. As palavras começam a cortar como uma faca afiada. Logo, a animosidade se transforma em raiva, ciúme e até coisas piores. Para muitos resulta em separação, divórcio e ódio. Mas essa fenda pode ser remendada facilmente. É preciso apenas de uma nova entrega que venha diretamente da alma. E uma renovação ao voto de "amor, honra e estima".

A mesma coisa acontecerá se você negligenciar o Senhor. Sentirá amargura e raiva. De repente, vai estar fora da comunhão com o Senhor. Foi o que aconteceu aos filhos de Israel no deserto. Começaram a se queixar: "Quem dera tivéssemos morrido no Egito! Ou neste deserto! Por que o Senhor está nos trazendo para esta terra? Só para nos deixar cair à espada?" (Números 14:2,3). E o Senhor disse a Moisés e Aarão: "Até quando esta comunidade ímpia se queixará contra mim?" (v. 27).

Os filhos de Israel passaram de dizer "O Senhor é Deus" para "Não seria melhor voltar ao Egito?" O que causou a mudança?

Pararam de procurá-lo e seus corações se endureceram. E antes de entenderem o que estava acontecendo, tinham-no abandonado.

Não deixe um dia passar sem uma nova entrega ao Senhor. Paulo escreveu: "Embora exteriormente estejamos a desgastar-nos, interiormente estamos sendo renovados dia após dia" (2 Coríntios 4:16). A entrega deve ser um contínuo e infinito esvaziamento de si mesmo ao Senhor. E quando fizer disso um hábito, começará a experimentar a perfeita união com Deus, a comunhão perfeita, a compreensão perfeita e o amor perfeito.

Acredito que essa seja a vontade de Deus para que você seja *continuamente* preenchido com o Espírito Santo. Quase no mesmo instante em que Paulo diz "enchido pelo Espírito", ele fala "não sejam insensatos, mas procurem compreender qual é a vontade do Senhor" (Efésios 5:17). Paulo não deixa nenhuma dúvida de que é a vontade do Pai que o Espírito Santo permaneça em cada cristão. É a vontade de Deus para toda mãe, todo pai, todo jovem — e para você.

Relaxe, relaxe

Em uma igreja perto de Toronto, lembro-me de ver um jovem orando para ser preenchido pelo Espírito. Nunca vou esquecer o olhar em seu rosto — forçado e tenso. Estava literalmente implorando e suplicando por um encontro com o Espírito Santo.

Caminhei até ele e disse: "Jovem, você não vai conseguir nada implorando. Relaxe. É tão fácil quando você se entrega." Foi o que ele fez, e quase que imediatamente o Espírito desceu sobre ele. Foi lindo. Um sorriso surgiu em seu rosto quando começou a orar em uma linguagem celestial.

Como você se lembra? Nunca acontecerá se "tentar muito". É como aprender a nadar. Se lutar para nadar, vai começar a afundar e pode até se afogar. É por isso que o instrutor de natação primeiro ensina uma criança a relaxar e a flutuar. Nadar vem naturalmente quando não se luta.

E é assim com a entrega — torna-se algo instintivo para um coração entregue. Quando você encontrou o amor da sua vida, não "tentou muito" se apaixonar. É algo que acontece ou não. Não precisa trabalhar nisso porque o amor se entrega.

Quando Jesus é seu Senhor, quando você o ama com todo seu coração, não é difícil se entregar a ele. É o mesmo com o Espírito Santo. Todo dia, quando você se apresenta, ele o enche de novo. Você permanece fresco como uma flor sob o sol da manhã. Ele continua a lhe dar vida — e as flores nunca parecem murchar.

Não posso dizer como você deve se aproximar dele, mas vou mostrar o que faço. Entrei muitas vezes no meu quarto, tranquei a porta e fiquei parado ali com meus braços levantados para o céu. Ele sabe que o amo; sei que ele me ama. E estou esperando com braços abertos para recebê-lo.

Agora, houve uma vez, anos atrás, que eu questionei seu amor. Nunca, nunca esquecerei isso. Foi durante um tempo em que estava tendo tremendas brigas com minha família. Minha mãe e meu pai não tinham renascido e havia muita dor em nossa relação. Então, uma noite, em meu quarto, olhei para cima e disse: "Jesus, sei que você diz em sua Palavra que me ama... mas, por favor, faça-me um favor. *Diga-me* que me ama." E fui dormir.

No meio da noite, fui acordado por uma voz que se parecia com torrentes de água. Só posso descrevê-la como um som que era forte e pesado. Depois, uma voz audível — vinda do nada, mas de todos os lugares ao mesmo tempo — começou a falar. Sobre a torrente de água, ouvi uma voz, tão clara quanto qualquer outra que já tinha ouvido, dizendo: "Amo você! Amo você!" Era a voz de Jesus. Naquele momento, as paredes do meu quarto realmente pareciam estar tremendo. Fiquei com medo porque a presença do Senhor era incomum.

Mas desde aquele momento, nunca questionei seu amor. Creio que ele nos forneça essas experiências quando precisamos delas — não quando as queremos.

Muitas vezes, ficava no meu quarto e não dizia uma palavra. Mantinha silêncio total. Tenho certeza de que você experimentou momentos em que não tinha de dizer uma palavra para garantir seu amor a alguém. Há momentos especiais entre duas pessoas que se somente um som fosse feito, um momento inesquecível seria destruído. O silêncio é, muitas vezes, a melhor linguagem.

Tantas vezes fiquei em meu quarto e de repente lágrimas começaram a encher meus olhos. Um calor e uma beleza inexplicáveis enchiam o ar quando ele começava a me preencher de novo. Como isso acontecia? O que eu fazia? Realmente, não fazia nada além de ficar na sua presença com uma entrega interior. Mas o que começava em perfeito silêncio continuava com louvor e adoração que eu nunca queria parar.

Quando você é continuamente preenchido pelo Espírito de Deus, sua vida de oração chega a uma dimensão que nunca imaginou possível. Para experimentar a brisa refrescante do Espírito que preenche seu coração de louvor, você precisa entender como se aproximar do trono de Deus em oração.

Passo a passo

Há sete passos distintos para a oração.

O primeiro passo é a *confissão*. Comece reconhecendo quem é Deus. Abraão o chamou: "Senhor, o Deus Altíssimo, Criador dos céus e da terra" (Gênesis 14:22). Comece declarando o poder do Todo-poderoso. Elias começou sua oração no Monte Carmelo: "Senhor, Deus de Abraão, de Isaque e de Israel" (1 Reis 18:36). Se você quer que o fogo caia, comece confessando quem é Deus.

O próximo nível de oração é a *súplica*. Simplesmente, "Deixe seu pedido se fazer conhecido ao Senhor". Infelizmente, esse é o passo em que muitas pessoas passam tempo demais. Toda a sua vida de oração parece se concentrar em necessidades, vontades e desejos. É claro que seus problemas pessoais são dignos da atenção de Deus, mas depois que você os compartilhou, não é hora de dizer "Amém". O melhor ainda está por vir.

O terceiro passo — e um que amo muito — é a *adoração*. Esse deve ser um momento de absoluta beleza e devoção. Amá-lo. Adorá-lo. Pode começar com as palavras "Jesus, amo você." De repente, você sente a presença do Espírito Santo e duas horas depois olha para seu relógio e diz: "Não acredito que o tempo passou tão rápido." É tão real, tão vivo.

Quarto, há um momento de *intimidade*. É quase muito amoroso, muito sagrado e muito lindo para ser descrito. Houve momentos em que, em profunda oração, senti como se alguém estivesse parado ali, acariciando minha testa. Era como se o Senhor estivesse me falando: "Obrigado. Fico muito feliz por estar com você."

Lembre-se, o Espírito Santo nunca irá forçar sua presença sobre você. Ele não exige ou estipula nada sobre sua vida de oração. Mas você, se disser: "Ajude-me a orar", ele está pronto para responder.

Às vezes, em minha vida, minha oração continuou durante horas nesse nível. Mas a intimidade não é um ponto de onde você pode começar. Nem é possível passar correndo pelos primeiros passos para chegar a esse ponto.

O quinto nível de oração é a *intercessão*. Jesus disse que o Espírito nos revelaria coisas e foi o que aconteceu comigo. Quando você convida o Espírito para ajudá-lo a orar, ele não foca nas suas necessidades e desejos egoístas. Não! O foco é externo. Ele colocou diante de mim nomes e rostos de pessoas em quem não pensava havia anos. E intercedi em oração por eles.

Mas não acredite que é um período de alegria e adoração. É justamente o contrário. A primeira vez intercedi; não tinha certeza do que queria. A comunhão acabou. A proximidade acabou. Durante esses períodos, senti tanta dor e agonia que é difícil colocar em palavras. Literalmente batia no chão com toda minha força enquanto orava por minha família, amigos, ministros — até por nações.

Deixe-me avisá-lo. É possível entrar na intercessão com um estalar de dedos. Não aparece instantaneamente porque é uma parceria com Deus que exige uma relação profunda e intensamente pessoal. Veja, o Espírito Santo guia sua vida de oração, passo a passo. Comigo, não aconteceu no primeiro dia, ou no segundo, ou no terceiro. Foram pelo menos seis meses antes de entrar nas profundezas da oração. As Escrituras ensinam que se somos fiéis com as pequenas coisas, Deus nos dará mais. É o que ele faz. É o Pai perfeito. O professor perfeito.

Mas o que aconteceu em seguida valeu o trabalho. O sexto passo na oração é o *agradecimento*. Como Paulo escreveu: "Mas graças a Deus, que nos dá a vitória por meio de nosso Senhor Jesus Cristo" (1 Coríntios 15:57). Sempre passei muito tempo agradecendo ao Pai, ao Filho e ao Espírito Santo.

Finalmente, o passo sete na oração é o *louvor*. Às vezes, eu canto. Às vezes, falo na linguagem do Espírito. Mas das profundezas de meu ser, explodo em louvor total. É a forma mais pura de oração que já experimentei.

Você pode perguntar: "Benny, você sempre inclui todos os sete passos?" Minha resposta é "Sim!" E eis o que é o mais maravilhoso do Espírito: se lhe permitir que opere por meio de oração, descobrirá que não está fazendo a maior parte dela. Ele parece estar fazendo tudo. Até na intercessão, por mais dolorosa que seja, os braços do Espírito o estão levantando, refrescando-o instantaneamente quando sua oração terminar.

Paulo estava certo quando disse: "Orem no Espírito em todas as ocasiões, com toda oração e súplica" (Efésios 6:18). Ele sabia haver mais de um tipo de oração.

"Ele está aqui!"

Não há substituto para o preenchimento do Espírito que vem como um resultado direto da sua oração. É o poder que afetará tudo que você fizer.

Recentemente, fui convidado a falar na Colômbia, na América do Sul. Foi uma cruzada de três dias e, na noite do segundo, uma quarta-feira, estava falando sobre o Espírito Santo. No meio da minha mensagem, senti o poder do Espírito Santo tomar conta do culto. Senti sua presença, parei de pregar e falei às pessoas: "Ele está aqui!" Os ministros na plataforma e as pessoas na audiência sentiram a mesma coisa — era como uma rajada de vento que entrou e rodou dentro daquele lugar.

As pessoas ficaram de pé em uma explosão espontânea de louvor. Mas não ficaram por muito tempo. Em todos os lados, elas começaram a tombar e cair no chão sob o poder do Espírito Santo. Foram "mortas" no Espírito.

O que aconteceu em seguida foi exatamente o que eu tinha visto ocorrer em cultos por todo o mundo. As pessoas começaram a receber Cristo como seu Salvador pessoal e curas começaram a acontecer por todo o auditório.

Quando falo sobre o Espírito Santo, uma unção incomum segue-se ao ensinamento. Sempre. Há uma incrível manifestação da presença de Deus — muito diferente dos outros momentos. Os milagres parecem ser mais intensos. Mais pessoas são salvas em comparação com outros encontros. O toque de Deus na vida das pessoas é mais pronunciado.

Nesses cultos, os chamados para o altar parecem ser mais fáceis. Não é preciso implorar ou pedir. Instantaneamente, as pessoas vêm para a frente em busca de salvação. Assim como o Senhor prometeu, o Espírito atrai as pessoas para Cristo.

Depois dos cultos, as pessoas se aproximam para dizer: "Esse foi o encontro mais poderoso de que já participei!" É como se o Espírito Santo tivesse honrado o culto porque ele é um convidado sempre bem-vindo.

Durante essa mesma cruzada, o Pastor Colin, meu intérprete, se aproximou de mim depois de uma aula matinal sobre o Espírito Santo, com quase dois mil pregadores. Começou a soluçar. Então, levantou sua cabeça das mãos e disse com grande emoção: "Querido irmão, conheço tão pouco sobre o Espírito Santo. Sinto como se estivesse no jardim de infância." Ele foi tomado pela realidade da mensagem.

Em outros momentos, vi um intérprete parar no meio da minha mensagem e começar a chorar incontrolavelmente. Esse é o poder do Espírito.

O que acontece em um culto pode acontecer com você, aí, bem onde está. É por isso que estou pedindo que se entregue totalmente ao Espírito. Você começará a entender o que Paulo quer dizer quando fala: "Deixem-se encher pelo Espírito... falando entre si com salmos... cantando e louvando de coração ao Senhor, dando graças constantemente... a Deus Pai." E saberá por que ele diz: "Sujeitem-se uns aos outros" (Efésios 5:18-21).

Um segundo vento

Você está preparado para a brisa celestial de Deus encher suas velas? Começa com a salvação quando você confessa seus pecados e assume o compromisso de seguir a Jesus como Senhor e Salvador. Até Cristo falou sobre o vento quando contou sobre a redenção. Ele disse a Nicodemos, membro do conselho governante judeu: "Não se surpreenda pelo fato de eu ter dito: 'É necessário que vocês nasçam de novo.' O vento sopra onde quer. Você o escuta, mas não pode dizer de onde vem nem para onde vai. Assim acontece com todos os nascidos do Espírito" (João 3:7,8).

Assim como a salvação é descrita como um vento, o Espírito Santo é descrito como um *segundo vento* — um vento de poder.

No dia de Pentecostes: "De repente veio do céu um som, como de um vento muito forte, e encheu toda a casa na qual estavam assentados" (Atos 2:2). O vento do Espírito está soprando e é poderoso. É um poder que colocará sua vida em movimento.

É hora de lançar seu barco, içar sua vela e começar a ser preenchido — continuamente preenchido — com o vento do Espírito Santo.

Oito

Uma poderosa entrada

Como poderia ser? Tinha entregado minha vida ao Senhor e estava lutando para viver a vida cristã.

Quando penso agora sobre o que estava acontecendo comigo, parece impossível. Em fevereiro de 1972, depois da minha experiência de "renascer", sabia que meu coração tinha sido purificado, mas as dificuldades que enfrentava pareciam insuperáveis. Havia conflitos em casa, indecisão sobre meu futuro e uma autoimagem tão baixa quanto o chão sob meus pés.

Oh, como lutava com minha vida! Era até difícil, às vezes, entregar todo meu amor ao Senhor. Tinha tantas questões urgentes! Depois, duas semanas mais tarde, fui preenchido com o Espírito. Esperava o Céu na Terra a partir daquele momento. Mas isso não aconteceu. Minhas lutas diárias continuaram.

Certamente, havia grandes momentos de alegria e júbilo. E eu não teria trocado minhas experiências espirituais por todo o petróleo na Arábia Saudita. Mas, lá no fundo, havia uma pergunta perturbando que me perseguiu durante meses. "É só isso?", eu me perguntava. A pergunta não desaparecia. "O Senhor não tem mais alguma coisa para mim?"

De repente, no meio de uma noite fria de dezembro, quase dois anos depois de ter encontrado Cristo, aconteceu. Quando deitei em minha cama, em Toronto, o Espírito Santo fez uma poderosa entrada no meu quarto. Parecia um choque elétrico e um cobertor quente, ao mesmo tempo.

Demorei apenas alguns dias para perceber o significado do que tinha acontecido. *Minha luta tinha acabado!* Havia encontrado a simplicidade da vida cristã — um relacionamento pessoal com o Espírito Santo.

Hoje, meu coração ainda está inquieto, mas por um motivo completamente diferente. Estou profundamente preocupado porque milhões de cristãos nunca receberam nem mesmo um pouquinho do que Deus tem guardado para eles. Estão perdendo a melhor parte. E nunca saberão quão maravilhoso o caminhar com Cristo pode ser até descobrirem a terceira pessoa da Trindade. *Ele é aquele que nos ajuda com a luta.*

Basta de lutar

No momento em que o Espírito entrou na minha vida, não precisei mais lutar contra meus adversários. Eles ainda estavam lá, mas a luta e a preocupação pareciam desaparecer. O que me aconteceu foi a mesma coisa dita a Israel séculos atrás pelo profeta Ezequiel. Vivendo numa época de agitação política, o Senhor disse a ele: "Darei a vocês um coração novo e porei um espírito novo em vocês; tirarei de vocês o coração de pedra e lhes darei um coração de carne. Porei o meu Espírito em vocês e os levarei a agirem segundo os meus decretos e a obedecerem fielmente às minhas lei" (Ezequiel 36:26,27).

O problema ainda existe hoje! Milhões de pessoas estão em uma luta diária para manter as leis de Deus e estão perdendo a guerra porque não entendem o plano de batalha do Pai. Sua estratégia não poderia ser mais sucinta: *"Vou colocar meu Espírito dentro de você"*, diz o Senhor. E por que essa é a meta dele? Ele quer "fazer com que você" — do fundo de seu coração — siga os estatutos dele. Quer que seja fácil para você *manter* a lei dele.

Você acha difícil cumprir os mandamentos de Deus? Não se sinta sozinho. É totalmente impossível conseguir por si mesmo e Deus não espera isso de você. É preciso ajuda! Mas a quem você deve recorrer? Deus Pai está no Céu, assim como Deus Filho. Você precisa de um amigo aqui e agora, e a pessoa da Trindade que habita sobre a Terra é o Espírito Santo. É ele que você precisa desesperadamente conhecer.

Se você fizesse uma pesquisa e perguntasse às pessoas o que mais queriam de Deus, a resposta provavelmente seria: "Quero que Deus fique feliz comigo." E é o que o Senhor prometeu ao profeta Ezequiel. Deus falou: "Não mais esconderei deles o rosto, pois derramarei o meu Espírito sobre a nação de Israel" (Ezequiel 39:29).

No momento em que o Espírito Santo se torna parte de sua vida, Deus vai começar a olhar na sua direção. Seu rosto vai começar a brilhar sobre você. O grande desejo do Pai é que você o receba, seja cheio dele e tenha comunhão com ele. Isso o fará feliz.

É só começar a ler o livro dos Atos e você sentirá o que Deus planejou. Os apóstolos tinham um tremendo relacionamento com o Espírito Santo e a evidência está registrada em cada página. Mas talvez mais inspirador seja o fato de que os "atos" continuem a acontecer — ainda hoje. Se as obras milagrosas do Espírito Santo fossem todas registradas, não haveria uma biblioteca grande o suficiente para conter os volumes.

O que transpirou no Cenáculo não deveria ter sido surpresa. Antes de ascender ao Céu, o próprio Jesus mandou seus seguidores não saírem de Jerusalém, mas esperarem pelo dom que seu Pai prometera, "da qual lhes falei. Pois João batizou com água, mas dentro de poucos dias vocês serão batizados com o Espírito Santo" (Atos 1:4,5).

Cristo até descreveu o que seria e como mudaria suas vidas: "receberão poder quando o Espírito Santo descer sobre vocês, e serão minhas testemunhas em Jerusalém, em toda a Judeia e Samaria, e até os confins da terra" (v. 8).

A chegada do Espírito

Um vento violento

A vinda do Espírito Santo foi tão real quanto a vinda de Jesus a Terra. Assim como os profetas previram o Messias, também previram a vinda do Espírito. Centenas de anos antes de Cristo, Deus disse a Joel:

E, depois disso, derramarei do meu Espírito sobre todos os povos.

Os seus filhos e as suas filhas profetizarão,
os velhos terão sonhos,
os jovens terão visões.
Até sobre os servos e as servas
derramarei do meu Espírito naqueles dias.
(Joel 2:28,29)

O Espírito Santo veio. E *que poderosa entrada!* O som de um vento estrondoso. Línguas de fogo. Uma demonstração do poder de Deus. Sua chegada a Terra foi completamente espetacular!

Chegando o dia de Pentecostes, estavam todos reunidos num só lugar. De repente veio do céu um som, como de um vento muito forte, e encheu toda a casa na qual estavam assentados. E viram o que parecia línguas de fogo, que se separaram e pousaram sobre cada um deles. Todos ficaram cheios do Espírito Santo e começaram a falar noutras línguas, conforme o Espírito os capacitava (Atos 2:1-4).

Foi exatamente como Isaías tinha previsto: "Com lábios trôpegos e língua estranha Deus falará a este povo" (Isaías 28:11).

Agora, quando Jesus nasceu, o momento foi marcado por paz e silêncio. Era uma linda noite em Belém, tão clara que os pastores seguiram a estrela até a manjedoura. Que contraste com o poderoso barulho que acompanhou a chegada do Espírito Santo! Criou tal clamor em Jerusalém que "Ouvindo-se o som, ajuntou-se uma multidão que ficou perplexa" (Atos 2:6).

Eu costumava pensar que a frase "Quando estava barulhento do lado de fora" significava que alguém estava correndo pela cidade dizendo: "Venham ver o que está acontecendo!" Mas não foi assim. O pandemônio do que aconteceu foi, literalmente, ouvido por toda a cidade. Veja: "Havia em Jerusalém judeus, tementes a Deus, vindos de todas as nações do mundo" (v. 5). Consegue imaginar o que eles pensaram?

A Palavra diz que quando eles ouviram esse som, correram espantados para o local, "pois cada um os ouvia falar em sua própria língua" (v. 6).

Completamente fascinados, perguntaram: "Acaso não são galileus todos estes homens que estão falando? Então, como os ouvimos, cada um de nós, em nossa própria língua materna?" (v. 7,8). E quando eles ouviram-no declarar as maravilhas de Deus em seus próprios idiomas, se perguntaram: "Que significa isto?" (v. 12).

Por que 120?

Sua estrondosa chegada não aconteceu em um templo feito de pedra. Em vez disso, o Espírito Santo apareceu para 120 cristãos que se tornaram o novo templo de Deus.

Você lembra que quando Salomão terminou seu templo, ele tinha "120 sacerdotes tocando cornetas"? (2 Crônicas 5:12) As Escrituras registram que "Então uma nuvem encheu o templo do Senhor, de forma que os sacerdotes não podiam desempenhar o seu serviço, pois a glória do Senhor encheu o templo de Deus" (v. 13,14).

Aconteceu novamente no Cenáculo. Cento e vinte se juntaram e o Espírito de Deus encheu o templo. Por que 120? É o número do fim da era da carne e o começo da era do Espírito. No Gênesis, onde por 120 anos Noé construiu a arca, a era da carne terminou. Deus disse: "Por causa da perversidade do homem meu Espírito não contenderá com ele para sempre; ele só viverá cento e vinte anos" (Gênesis 6:3).

É precisamente por esse motivo que o Senhor juntou 120 no Pentecostes. Para que Deus Espírito Santo pudesse ser liberado entre as nações. *Foi o que marcou o começo da era do Espírito.*

Os observadores não conseguiram entender o que estava acontecendo! Alguns zombaram deles e disseram: "Eles beberam vinho demais" (Atos 2:13). Mas Pedro "levantou-se com os Onze e, em alta voz, dirigiu-se à multidão: "Homens da Judeia e todos os que vivem em Jerusalém, deixem-me explicar-lhes isto! Ouçam com atenção: estes homens não estão bêbados, como vocês supõem. Ainda são nove horas da manhã! Ao contrário, isto é o que foi predito pelo profeta Joel" (v. 14-16).

Os 120 estavam tão cheios do Espírito que não conseguiam se aguentar sobre suas próprias pernas. O Espírito era tão poderoso que tomou controle das ações dos cristãos. Ele operou mudando seus discursos, suas emoções e seus comportamentos. O que Jerusalém testemunhou não foi embriaguez, mas a incrível alegria que surge quando o Espírito toma controle. Já fui acusado de algumas coisas também.

Que transformação no tímido Pedro. Isso fez com que surgisse o "pregador" que havia nele, e ele "levantou sua voz" e falou com ousadia para a crescente multidão. Mas quem você acha que lhe entregou as palavras? A mensagem cativante vinha do Espírito Santo. "Porque o nosso evangelho não chegou a vocês somente em palavra, mas também em poder, no Espírito Santo" (1 Tessalonicenses 1:5). Isso mesmo. O evangelho é pregado pelo Espírito Santo. Lembre-se, a Palavra diz: o Espírito "trabalhando com eles". É ele que faz a obra.

Agora veja o que começa a acontecer de repente no livro dos Atos. *O Espírito Santo dá enorme autoridade àqueles que o recebem*. São três horas da tarde quando Pedro e João estavam indo ao templo e "estava sendo levado para a porta do templo chamada Formosa um aleijado de nascença, que ali era colocado todos os dias para pedir esmolas aos que entravam no templo" (Atos 3:2).

Virando-se para o mendigo desgrenhado, "Pedro e João olharam bem para ele e, então, Pedro disse: 'Olhe para nós!'" (v. 4). É uma coisa maravilhosa ver um homem completamente entregue ao Espírito Santo. Pedro estava cheio de uma ousadia e de um poder que nunca tivera quando olhou profundamente dentro da alma desse pobre homem — olhando diretamente pelos seus olhos.

O mendigo sabia que Pedro e João não estavam brincando. Uma coragem sagrada tinha tomado posse dos apóstolos. Quando Pedro disse: "Olhe para nós", o homem imediatamente "olhou para eles com atenção, esperando receber deles alguma coisa" (v. 5).

Então Pedro falou: "Não tenho prata nem ouro, mas o que tenho, isto lhe dou. Em nome de Jesus Cristo, o Nazareno, ande" (v. 6). Ele o pegou pela mão direita, ajudou-o a subir e instantaneamente os pés e os tornozelos do homem ficaram fortes "de um salto pôs-se em pé e começou a andar. Depois entrou com eles no pátio do templo, andando, saltando e louvando a Deus" (v. 8).

Você pode imaginar a consternação no templo? O mendigo fez uma entrada triunfal. Eles o reconheceram imediatamente e "ficaram perplexos e muito admirados com o que lhe tinha acontecido" (v. 10).

Não é uma experiência de "ontem"

O poder e a autoridade que os apóstolos receberam começaram a tocar as vidas em todo lugar. Seu ministério foi seguido por "muitos sinais e maravilhas entre o povo" (Atos 5:12). E qual foi o resultado? "Em número cada vez maior, homens e mulheres criam no Senhor e lhes eram acrescentados" (v. 14). *Os sinais que se seguiram à vinda do Espírito Santo levaram as pessoas diretamente a Cristo.* Esse é um importante fato a se lembrar.

O que aconteceu no Cenáculo não foi uma experiência única, nem uma nota de rodapé da história. Os cristãos cheios do Espírito estabeleceram uma relação contínua com o Espírito Santo. Eles *continuaram* a ser preenchidos. Quando Pedro foi chamado perante o Sinédrio por causa da cura do mendigo, eles perguntaram: "Com que poder ou em nome de quem vocês fizeram isso?" Pedro estava "cheio do Espírito Santo" quando falou (Atos 4:7,8). Não estamos falando no passado, mas no *presente.* "Cheio" descreve o apóstolo naquele exato momento.

Várias vezes, nas Escrituras, quando os seguidores de Cristo são retratados como "cheios do Espírito", a referência é para um novo preenchimento, não para algo que aconteceu ontem ou no mês passado.

Pedro estava tão cheio do Espírito no templo que teve autoridade sobre seus críticos. Sem medo, ele falou: "Autoridades e líderes do povo! Visto que hoje somos chamados para prestar contas de um ato de bondade em favor de um aleijado, sendo interrogados acerca de como ele foi curado, saibam os senhores e todo o povo de Israel que por meio do nome de Jesus Cristo, o Nazareno, a quem os senhores crucificaram, mas a quem Deus ressuscitou dos mortos, este homem está aí curado diante dos senhores" (Atos 4:8-10).

Você percebe que o poder do Espírito pode preenchê-lo tanto que você não teme absolutamente ninguém? É possível estabelecer tal comunhão com ele que mesmo dirigir-se ao líder de uma nação não causaria nenhuma apreensão. O Espírito levantará sua cabeça, alinhará seus ombros e lhe incutirá uma inesperada confiança.

Quando viajei para o Vaticano, em Roma, para conhecer o Papa, pensei que ficaria nervoso. Mas isso não aconteceu porque eu estava concentrado em meu objetivo. E entre os líderes do Vaticano, senti fome pelas coisas do Espírito.

Pedro, o poderoso

Pedro estava enfrentando mais do que os sacerdotes do templo. Estava, na verdade, confrontando o governo de Israel. De fato, na noite anterior, quando se dirigiu aos sacerdotes, ele e João foram jogados na prisão. Mas quando falou, as palavras foram cortantes. Disse-lhes que o Senhor era "a pedra que vocês, construtores, rejeitaram, e que se tornou a pedra angular" (Atos 4:11). Foi uma citação direta do Salmo 118:22.

Era o mesmo Pedro que, poucas semanas antes, no mesmo lugar, perante as mesmas pessoas, tinha se intimidade diante de uma menina e negado seu Mestre? Agora, aqui estava ele, cheio do Espírito, completamente destemido, desafiando os assassinos de Jesus.

Não era mais Pedro, o fraco. Era Pedro, o poderoso. Que mudança o Espírito realizou!

Tão grande foi essa comunhão com o Espírito Santo que Pedro desafiou Ananias diretamente. Ele disse: "Ananias, como você permitiu que Satanás enchesse o seu coração, ao ponto de você mentir ao Espírito Santo" (Atos 5:3). As palavras de Pedro e as ações de Deus foram tão poderosas que "grande temor apoderou-se de todos os que ouviram o que tinha acontecido" (v. 5).

Sua proximidade

Posso falar a partir de minha experiência pessoal que chega um momento em que a comunhão do Espírito se torna tão real, tão profunda e tão grande que suas palavras e ações se conformam as palavras e ações *dele*. Quando você sabe, por exemplo, que ele foi entristecido, pode falar corajosamente em seu nome, sabendo que ele está fluindo em você a todo momento. Estará tão perto dele que acabará sentindo que foi ele que respondeu o que você acabou de dizer.

Acredito que está se aproximando o dia em que homens e mulheres de Deus se aproximarão tanto do Espírito de Deus que testemunharemos muito mais do que curas e milagres. Vamos testemunhar como o Espírito vai dispersar aqueles que ousarem enfrentá-lo.

Nunca se esqueça de Ananias. Ele "caiu morto" (Atos 5:5). E nunca se esqueçam de Geazi. Ele mentiu para Eliseu sobre os presentes que Naamã lhe trouxe. Naamã foi curado, mas o

Espírito levou Eliseu a dizer: "A lepra de Naamã atingirá você e os seus descendentes para sempre" (2 Reis 5:27). E foi exatamente o que aconteceu.

Jesus fez uma declaração muito poderosa quando disse: "Assim como o Pai me enviou, eu os envio." E com isso, soprou sobre eles e disse: "Recebam o Espírito Santo. Se perdoarem os pecados de alguém, estarão perdoados; se não os perdoarem, não estarão perdoados" (João 20:21-23). Isso deve ter sido um pensamento importante e levado muito a sério pelos apóstolos.

O rosto de um anjo

Pedro estava tão perto do Espírito que falou a seus acusadores: "Nós somos testemunhas destas coisas, bem como o Espírito Santo, que Deus concedeu aos que lhe obedecem" (Atos 5:32).

O Espírito Santo possuiu Estevão de tal modo que, ao ser levado perante os sacerdotes, "todos os que estavam sentados no Sinédrio viram que o seu rosto parecia o rosto de um anjo" (Atos 6:15). Mas, oh, as palavras que ele falou. "Povo rebelde, obstinado de coração e de ouvidos! Vocês são iguais aos seus antepassados: sempre resistem ao Espírito Santo!" (Atos 7:51). Por que disse isso? Por causa do que o *preenchia*: "Mas Estevão, cheio do Espírito Santo, levantou os olhos para o céu e viu a glória de Deus, e Jesus em pé, à direita de Deus" (v. 55).

A presença do Espírito se tornou tão poderosa na vida de Estevão que ele foi capaz de olhar para cima e ver a glória de Deus. Até assumiu as emoções e atributos do Espírito quando estava sendo apedrejado. Estevão disse: "Senhor, não os considere culpados deste pecado" (Atos 7:60). Você pode imaginar tal reação? Ele não disse a Deus: "Julgue-os. Mate-os. Trucide-os." O Espírito Santo fez a diferença.

Estou convencido de que há um ponto em seu relacionamento com o Espírito em que a unção se torna pesada sobre você — sua presença tão perto de você — que é possível olhar para cima e ter uma visão de Deus. Ele se torna real a esse ponto.

Saul, durante sua dramática conversão, teve uma experiência única com o incrível poder do Espírito Santo. Como estava a caminho de Damasco, soltando ameaças assassinas contra os seguidores de Cristo, "de repente brilhou ao seu redor uma luz vinda do céu. Ele caiu por terra e ouviu uma voz que lhe dizia: "Saul, Saul, por que você me persegue?" (Atos 9:3,4).

Estava trêmulo e atônito. "Quem és tu, Senhor?" Saul perguntou. Ele respondeu: "Eu sou Jesus, a quem você persegue. Levante-se, entre na cidade, alguém lhe dirá o que você deve fazer." (Atos 9:5,6). Os homens, viajando com Saul, ficaram espantados e sem palavras. Saul ficou cego por três dias por causa da experiência antes de Deus curá-lo e ele estar "cheio do Espírito Santo" (v. 17).

Novamente o Espírito fez uma entrada poderosa. Transformou Saul, o antagonista, em Paulo, o apóstolo. Na verdade, o efeito foi sentido por toda a Terra. A igreja "passava por um período de paz em toda a Judeia, Galileia e Samaria. (...) E, encorajada pelo Espírito Santo, crescia em número, vivendo no temor do Senhor" (Atos 9:31).

Só posso imaginar o que aconteceria se cada ministro na Terra caísse prostrado e procurasse um relacionamento pessoal com o Espírito Santo. Que ressurgimento! Acredito que revolucionaria tanto o mundo das igrejas que os santuários não conseguiriam acomodar todas as pessoas.

Graças a Deus pelos pastores que estão "vivos" no Espírito, mas ouvi alguns ministros que, para ser honesto, serviriam melhor como agentes funerários! Uma comunhão contínua com o Espírito faz a diferença. As pessoas buscam por uma realidade que somente o Espírito Santo torna possível.

Ele nunca para de trabalhar

Desde o momento do Pentecostes, o Espírito começou seu trabalho sobre a Terra e nunca parou. Nunca! É incrível como ele interveio na vida de Pedro. Quando estava orando no telhado, Deus lhe deu uma visão e "Enquanto Pedro ainda estava pensando na visão, o Espírito lhe disse: 'Simão, três homens estão procurando por você. Portanto, levante-se e desça. Não hesite em ir com eles, pois eu os enviei'" (Atos 10:19,20).

Os três homens sobre os quais o Espírito lhe falou foram enviados por Cornélio, um centurião temente a Deus, do regimento italiano. Ele também teve uma visão: "Viu claramente um anjo de Deus que se aproximava dele e dizia: 'Cornélio! (...) Agora, mande alguns homens a Jope para trazerem um certo Simão, também conhecido como Pedro'" (Atos 10:3-5). Mas não foi o anjo falando. Foi o Espírito Santo falando *por meio* do anjo. Lembra-se? O "Espírito lhe disse: '(...) eu os enviei'" (v. 19,20).

O Espírito Santo é uma pessoa ativa. Ele nunca para de operar. Mandará até um anjo para você, se for disso que você precisa. O que acontece na Terra é realização *do Espírito*. Ele é o representante do Pai e do Filho.

Na casa de Cornélio, Pedro pregou a morte, o sepultamento e a ressurreição de Cristo. E "enquanto Pedro ainda estava falando estas palavras, o Espírito Santo desceu sobre todos os que ouviam a mensagem" (Atos 10:44). Os cristãos que tinham vindo com ele, "ficaram admirados de que o dom do Espírito Santo fosse derramado até sobre os gentios, pois os ouviam falando em línguas e exaltando a Deus" (v. 45,46). Nunca se esqueça de que *a Palavra vem em primeiro lugar.* A mensagem de Cristo tem preeminência. O evangelho é o fundamento para tudo que Deus Espírito Santo foi enviado a fazer.

O Espírito está preocupado com sua vida — até mesmo com seu futuro. Ele quer guiá-lo, protegê-lo, até avisá-lo do que vai acontecer. Você pergunta: "O Espírito Santo pode profetizar sobre coisas que virão?" Veja o que aconteceu quando Barnabé foi para a grande cidade de Antioquia. Quase meio milhão de pessoas viviam ali na época. Durante um ano inteiro, Barnabé e Saul pregaram para um grande número de pessoas naquela igreja enorme que não parava de crescer.

> Naqueles dias alguns profetas desceram de Jerusalém para Antioquia. Um deles, Ágabo, levantou-se e pelo Espírito predisse que uma grande fome sobreviria a todo o mundo romano, o que aconteceu durante o reinado de Cláudio. Os discípulos, cada um segundo as suas possibilidades, decidiram providenciar ajuda para os irmãos que viviam na Judeia. (Atos 11:27-29)

Era assim que o Espírito Santo estava perto de suas vidas diárias. Ele revelou a chegada de uma seca, permitindo-lhes, dessa forma, que estivessem preparados quando começasse a faltar comida. O Espírito é uma *pessoa*, e está profundamente preocupado com as *pessoas*. Ele sabe o que está acontecendo em sua vida e tem grande interesse por você.

O Espírito e o feiticeiro

Não está na hora de permitir que o Espírito guie seus passos? Por que tentar planejar seu próprio percurso quando ele conhece cada centímetro da estrada a sua frente, cada curva perigosa, cada buraco? É o que os cristãos em Antioquia aprenderam. "Enquanto adoravam o Senhor e jejuavam, disse o Espírito Santo: 'Separem-me Barnabé e Saul para a obra a que os tenho chamado'" (Atos 13:2). Responderam imediatamente: "Enviados pelo Espírito Santo, desceram a Selêucia e dali navegaram para Chipre" (v. 4).

Os discípulos estavam fazendo o trabalho do Pai, mas quem os enviou? Eles receberam instruções diretas do Espírito. E durante a jornada deles, o Espírito Santo nunca parou de trabalhar. Até lhes deu poder sobre um falso profeta.

Elimas era um feiticeiro e mágico judeu. Ele tentou parar o que o poder de Deus estava fazendo em Chipre. Mas, "Então Saul, também chamado Paulo, cheio do Espírito Santo, olhou firmemente para Elimas e disse: 'Filho do Diabo e inimigo de tudo o que é justo! Você está cheio de toda espécie de engano e maldade. Quando é que vai parar de perverter os retos caminhos do Senhor?'" (Atos 13:9,10).

Que acusação! De fato, o Espírito era tão forte em Paulo que ele contou ao feiticeiro que este ficaria cego. E ficou. Mas, como resultado direto, as pessoas começaram a se voltar para Cristo, "a palavra do Senhor se espalhava por toda a região" (Atos 13:49). "Os discípulos continuavam cheios de alegria e do Espírito Santo" (v. 52).

Você pode perguntar: "Eu deveria deixar o Espírito Santo tomar *todas* as decisões? Afinal, Deus não me deu uma mente?" Claro que deu. Mas o que faz sentido para você também deve fazer sentido para o Espírito. O conselho da igreja em Jerusalém escreveu: "Pareceu bem ao Espírito Santo e a nós [...]" (Atos 15:28). Quando estiver certo, será confirmado pelo Espírito Santo, e você saberá que direção tomar.

A mensagem e o mensageiro

Se o Espírito era tão necessário para Cristo, também deveria ser importante para você. Jesus nasceu do Espírito, foi ungido pelo Espírito, expulsou demônios pelo Espírito, recebeu sua plenitude pelo Espírito e realizou milagres pelo Espírito. E foi pelo Espírito Santo que ele ensinou, deu ordens, fortaleceu e governou a igreja, ofereceu-se na cruz e foi ressuscitado.

"Quanto mais o sangue de Cristo, que pelo Espírito eterno se ofereceu de forma imaculada a Deus, purificará a nossa consciência de atos que levam à morte para que sirvamos ao Deus vivo!" (Hebreus 9:14). O mesmo Espírito que foi essencial para a obra terrena de Cristo é necessário para você. Ele é indispensável.

Sua experiência de salvação está baseada no Cristo, na cruz e na sua confissão. Mas como você recebeu a *realidade* da sua regeneração? Como *sabia* que seu coração tinha sido purificado? Isso, meu amigo, é obra do Espírito Santo. É o Espírito do Senhor que coloca a mensagem na sua alma. Não dá para encontrar palavras adequadas para descrever ou explicar isso, mas você sabe que é algo tão válido quanto a própria vida.

Se aquela realidade é tão forte, tão profunda e tão pessoal, então quão real é quem a entrega? É uma pergunta significativa. Quão real deve ser o mensageiro se a mensagem é tão real?

O Espírito Santo anseia um relacionamento pessoal diário e contínuo com você. Ele quer fazer uma entrada — *uma entrada poderosa* — em sua vida.

NOVE

Espaço para o Espírito

Durante gerações, as pessoas foram levadas a acreditar que o Espírito é uma "coisa". Com base em milhares de vozes, milhões de palavras escritas e uma atitude que permeou toda a fé cristã, fomos programados a pensar no Espírito Santo como *algo* em vez de *alguém*.

Ouvi um refrão recentemente que dizia: "Dê-me mais de ti!" E pensei: *Por quê? Isso não é bíblico*. Não se pode ter uma parte dele. É uma pessoa. Não se pode quebrá-lo em pequenos pedaços, um braço essa semana e uma perna na próxima. Não é: "Dê-me mais de ti." É exatamente o oposto. Você deveria estar clamando ao Espírito: "Por favor, leve mais de *mim*." Ele não se entrega a você. Não! Você se entrega a ele.

Um lugar para ele

Sem dúvida, a mensagem mais esquecida da igreja hoje em dia é que *o Espírito Santo é real e devemos abrir um espaço para ele.*

Triste, não é? Milhares de ministros do Evangelho não compreendem as obras do Espírito no planeta Terra. Tenho medo de que também tenham sido programados. Da escola dominical ao seminário, foram levados a acreditar que o Espírito é um membro menor da Trindade que veio no Pentecostes e continua flutuando nas nuvens desde então. Na verdade, muitos evitam falar seu nome para que as pessoas não os confundam com um desses excêntricos carismáticos.

Deus queria que a igreja fosse viva e vibrante. Pouco antes de voltar ao Céu, Jesus proferiu as inesquecíveis palavras: "Estes sinais acompanharão os que crerem" (Marcos 16:17). Talvez a pergunta mais complexa que recebi como ministro foi: *Se o Espírito Santo foi enviado para dar poder aos cristãos para terem uma vida vitoriosa, por que existem tantos desesperançados e derrotados?*

Quando eu era evangelista, ia à igreja, realizava encontros, orava pelas necessidades das pessoas e voltava para minha casa. Realmente não sabia o que estava acontecendo na vida diária das pessoas. Mas agora que sou um pastor, minha perspectiva mudou totalmente. E fico perturbado pelo que vejo.

Agora percebo que um número infinitamente maior de pessoas tem problemas tão grandes como jamais sonhei. Que tantos cristãos estivessem desanimados, deprimidos e à beira da falência espiritual era algo quase impensável. Vejo, repetidamente, pequenos problemas aparecerem na vida das pessoas e, de repente, emergirem como Golias ou Monte Everest.

— Deus Pai — peço —, onde está a vitória? Onde está a alegria?

Na semana passada, nossa congregação experimentou um grande derramamento do Espírito em uma noite de domingo.

Quando eu pregava para as pessoas, senti uma unção incomum. A caminho de casa, gritava: "Aleluia!" Falei para Suzane, minha esposa: "Que culto incrível! Não é maravilhoso o que Deus está fazendo aqui?" Mas assim que entrei em nossa casa, o telefone tocou. E pelos trinta minutos seguintes, ouvi a dolorosa história de um homem que tinha estado naquele culto. Ele chorou muito quando me disse: "Não sei mais o que fazer."

Isso aconteceu muitas vezes.

Quem tem o poder?

O que há de errado? Por que aquela primeira igreja tinha tanto poder e nós temos tão pouco? Com uma palavra expulsavam demônios e nós parecemos ficar tão temerosos e alarmados. Basta mencionar demônios e os cristãos saem correndo. Muitos pastores nem mesmo falam sobre eles, como se ignorar o tópico pudesse afastá-los.

É difícil entender. Em vez de pregar às pessoas que elas podem se libertar, muitos ministros mantêm um silêncio que as deixa algemadas. Em vez de obedecer às palavras de Cristo, "expulsarão demônios" (Marcos 16:17), dizem às pessoas que isso que realmente está acontecendo não existe — que é imaginação. E as pessoas murmuram: "Senhor, não encontro uma resposta. Não consigo encontrar ajuda!"

É de se admirar que alguns ocultistas tenham mais poder do que alguns cristãos? Deveríamos nos surpreender quando seguidores satânicos demonstram conhecer mais do sobrenatural do que muitos seguidores de Cristo? Como é possível? Se Deus é onipotente e Satanás possui uma fração mínima de poder, como um discípulo do demônio opera com qualquer autoridade?

É realmente muito simples. Uma pessoa que usa 100% de uma pequena fração tem mais poder do que alguém que poderia ter a energia do universo, mas nem mesmo tenta. Fico profundamente perturbado quando penso em um pecador recebendo mais de Satanás do que um cristão que não pede nada do que Deus pode dar.

Está na hora de começar a exercitar o poder do Todo-poderoso. Você precisa saber que Deus é maior do que qualquer demônio e que somente uma palavra de Jesus destrói o mal. Mesmo um dos seus anjos pode derrubar Satanás (Apocalipse 20:1-3). Deus não é fraco — seu povo é.

Eis a única conclusão a que fui capaz de chegar: *A razão pela qual a igreja e tantas pessoas nela se tornaram tão derrotadas é porque ignoraram a pessoa mais poderosa do universo — o Espírito Santo.* Mais uma vez: "'Não por força nem por violência, mas pelo meu Espírito', diz o Senhor dos Exércitos" (Zacarias 4:6). E as seguintes palavras também são muito animadoras: "Quem você pensa que é, ó montanha majestosa?... você se tornará uma planície" (v. 7).

Você precisa mais do que um trator para nivelar a enorme pilha de pedras que existe no seu caminho. É uma montanha gigantesca de futilidade e medo. E a escavação que você precisa é possível apenas por meio do vigoroso poder do Espírito Santo.

Real, não falso

Deus, por sua Palavra, dá uma receita para quebrar o jugo da escravidão. Ele sabe exatamente o que é necessário para levantar seu pesado fardo. Isso se chama *unção*:

> E acontecerá, naquele dia,
> que a sua carga será tirada do teu ombro,
> e o seu jugo do teu pescoço;
> e o jugo será despedaçado por causa da unção.
> (Isaías 10:27 — Almeida Corrigida Fiel)

Como Deus removeu o fardo de Israel, também removerá o seu. Afinal, Satanás é o traidor que colocou o jugo pesado sobre você. Mas Jesus, que declarou que a escravidão seria destruída, afirmou: "Pois o meu jugo é suave e o meu fardo é leve" (Mateus 11:30).

O pesado jugo pode ser quebrado pelo Espírito. E não apenas por aquele momento. Não é uma solução temporária. Ele fica com você, continua a levantar seu fardo e a guiá-lo num caminho completamente novo. O apóstolo João, falando sobre o Espírito, escreveu: "A unção que receberam dele permanece em vocês, e não precisam que alguém os ensine; mas, como a unção dele recebida, que é verdadeira e não falsa, os ensina acerca de todas as coisas, permaneçam nele como ele os ensinou" (1 João 2:27).

Não é preciso ser doutor para ser capaz de perceber quem possui a unção e quem não possui. Mesmo um pecador não regenerado, apertando um botão do aparelho de TV em um domingo de manhã, reconhece o toque do Espírito quando o vê. Reconhece porque, como um diamante, é muito raro.

Não há nada mais trágico do que as pessoas que não possuem a unção querendo produzi-la. Tentam forçá-la, mas o toque do Senhor não está lá. Quantas vezes você viajou para ouvir um grande orador ou mestre bíblico e terminou descobrindo que a pessoa é uma concha vazia, que não há nada dentro dela, a não ser conhecimento. Cheias de fatos e informações, mas absolutamente sem vida, estão caminhando e falando, mas suas palavras estão mortas.

Nunca esquecerei o que aconteceu em uma conferência a que assisti na costa oeste. Em uma sessão da tarde, um jovem foi apresentado para cantar. Com uma voz tremenda, bem treinada, ele cantou: "The King is Coming!" [O Rei está chegando!] Todas as pessoas gostaram e aplaudiram muito quando ele terminou.

Não sei como aconteceu, mas no culto noturno, uma senhora cantou exatamente a mesma música. Francamente, ela não parecia ser cantora, sua voz era um pouco anasalada e desafinava em algumas das notas. Mas ela tinha algo que supria suas deficiências. Quando chegou ao segundo refrão, as pessoas estavam de pé. Suas mãos levantadas para o céu. O poder naquele lugar era eletrizante. E não parou quando ela terminou. Louvamos várias vezes ao Senhor. Depois, começamos a aplaudir — por muito tempo. Mas não estávamos ovacionando a cantora. Estávamos aplaudindo aquele que nos entregou a música.

O que fez a diferença? Meu amigo, *foi a unção!* Foi o poder do Espírito na vida daquela senhora.

Durante meu ministério no Canadá, fomos um dos grupos patrocinadores de uma cruzada de Billy Graham. Os preparativos para o encontro foram uma das coisas mais organizadas que já vi. E os cultos propriamente ditos foram "monótonos", comparados aos que eu estava acostumado. Mas quando Graham começou a falar, havia um toque inconfundível do Espírito em sua mensagem. O conteúdo era Cristo, mas eu podia ver que estava na presença de um homem com uma profunda comunhão pessoal com o Espírito.

Palavras que chocaram a sinagoga

Desde a Criação, as pessoas ficaram fascinadas pela unção. Ela tem sido admirada, manifestada e até copiada. Mas a verdadeira unção sempre foi — e ainda continua sendo — uma função de Deus Espírito Santo.

Qual é o seu objetivo? Que você possa proclamar a mensagem com poder.

> O Espírito do Soberano, o Senhor, está sobre mim,
> porque o Senhor ungiu-me para levar boas notícias aos pobres.
> Enviou-me para cuidar dos que estão com o coração quebrantado,
> anunciar liberdade aos cativos
> e libertação das trevas aos prisioneiros
> para proclamar o ano da bondade do Senhor...
> (Isaías 61:1,2)

Mas essas não são as palavras de um profeta do Antigo Testamento. Jesus as citou a uma audiência atônita na sinagoga em Nazaré (Lucas 4:18,19).

Você nunca deve esquecer que para entender o Espírito Santo deve saber que ele é Deus. Essa descrição pode lhe parecer estranha, mas é tão básica quanto a própria Palavra. Ele era o poder da Criação. Você se lembra das palavras no livro de Jó? "O Espírito de Deus me fez; o sopro do Todo-poderoso me dá vida" (Jó 33:4).

Enquanto Deus Pai estava no Céu sobre o trono da Glória, dizendo: "Faça-se o homem", o Espírito Santo estava fazendo sua obra na Terra. Até o segundo versículo afirma que na Criação "o Espírito de Deus se movia sobre a face das águas" (Gênesis 1:2). E o salmista, falando das criaturas na Terra, escreveu: "Quando sopras o teu fôlego, eles são criados, e renovas a face da Terra" (Salmo 104:30).

Crescimento espiritual

Se você quer que a unção do Espírito se torne evidente em sua vida, ela começa com uma compreensão de quem é ele, como opera e como você pode entrar em comunhão com ele. O Espírito Santo não foi enviado para que você se sinta bem. Ele vai fazer isso, com certeza, mas é muito mais. Ele tem uma posição de igualdade na Divindade e merece nossa adoração da mesma forma que Deus Pai e Deus Filho. Mas esse é apenas o começo. Seu crescimento espiritual não é diferente do de um carvalho gigante. Deve ser alimentado e nutrido.

O que faço em seguida?

Recentemente, um homem me falou: "Benny, quero agradecer-lhes por ter me apresentado ao Espírito Santo em 1978."

Eu disse: "Isso é ótimo. Conte-me o que aconteceu desde então?"

Seu rosto ficou branco quando disse: "Bem, nada realmente. Apenas me lembro como foi quando o conheci."

— Por que você acha que não aconteceu nada? — perguntei.

Nunca vou esquecer sua resposta:

— Acho que não sabia o que fazer.

Talvez eu esperasse que toda pessoa que fosse apresentada ao Espírito reagisse como eu. Literalmente, me isolei com a Palavra e com o Espírito, absorvendo o que ele tinha a me oferecer como uma esponja. Demorei, centenas e centenas de horas, com o precioso Espírito Santo.

Percebo que, para muitas pessoas, é quase impossível encontrar tempo para pesquisar com atenção as Escrituras. Mas só de ler este livro, você está recebendo, de uma maneira sucinta, o que demorou anos para o Espírito compartilhar comigo. Mas há uma coisa que não posso fazer por você. Não posso colocar uma varinha espiritual sobre sua cabeça e ungi-lo. Isso acontece apenas com um encontro pessoal e profundamente privado com o Espírito. E isso continua a crescer com uma fraternidade e uma comunhão que somente você pode estabelecer.

Seu crescimento no Espírito começará no momento em que você começar a ver que o Espírito de Deus é verdadeiramente Deus. Não consigo deixar de repetir isso porque um quadro mental de uma personalidade fraca foi plantado em nossa psique desde a infância. Lembro-me de ter visto um livro que dizia: "O Espírito Santo é um servo do Corpo de Cristo." É desse tipo de erro que estou falando. Ele não é um servo; ele está no comando. Ele é o *líder* do corpo de Cristo.

Deixe-me compartilhar algo que eu descobri. O Espírito Santo não é apenas Deus; ele é também o Pai do Senhor Jesus Cristo. Antes de dizer: "Calma aí, Benedictus", deixe-me lhe mostrar na Palavra.

Você diz: "Pensei que Deus Pai era o Pai de Jesus." Bem, você está certo, mas também está errado. Deixe-me mostrar por quê. No primeiro capítulo dos Evangelhos, nos disseram que o Espírito Santo é o Pai do Senhor. "Foi assim o nascimento de Jesus Cristo: Maria, sua mãe, estava prometida em casamento a José, mas, antes que se unissem, achou-se grávida pelo Espírito Santo" (Mateus 1:18).

Até Maria ficou preocupada. Maria perguntou ao anjo: "'Como acontecerá isso, se sou virgem?' O anjo respondeu: 'O Espírito Santo virá sobre você, e o poder do Altíssimo a cobrirá com a sua sombra. Assim, aquele que há de nascer será chamado Santo, Filho de Deus'" (Lucas 1:34,35). Aí está. Ele é chamado de Filho de Deus, mas foi o Espírito Santo que apareceu para a mãe de Cristo. Essa é a intimidade da Trindade — um filho de Deus Pai e um filho de Deus Espírito Santo em apenas um.

Até os atributos de Jesus lhe foram dados pelo Espírito. Falando da vinda de Cristo, Isaías escreveu:

> Um ramo surgirá do tronco de Jessé,
> e das suas raízes brotará um renovo.
> O Espírito do Senhor repousará sobre ele,
> o Espírito que dá sabedoria e entendimento,
> o Espírito que traz conselho e poder,
> o Espírito que dá conhecimento e temor do Senhor.
> (Isaías 11:1,2)

Quem é o Pai?

Jesus Cristo é um filho do Espírito. E assim como qualquer pai terreno ama seu bebê, da mesma forma o Espírito Santo amou o Senhor. Já viu um pai orgulhoso segurar o filho recém-nascido em seus braços, apertá-lo e amá-lo? Acho que esquecemos que o Espírito

Santo também possui emoções. Ele ama o que criou; por isso quer colocar os braços ao *seu* redor.

Você consegue ver o Deus Pai no Céu falando ao Espírito: "Pegue meu Filho e faça-o carne?" Foi o milagre dos milagres. O Espírito Santo pegou aquela semente e colocou-a dentro do corpo de Maria. Mas ele não foi apenas o Pai do Senhor, também foi quem o ungiu.

Imagine, se quiser, Deus Pai sentado em seu trono no Céu e Jesus na Terra curando os doentes e realizando milagres. E o Espírito Santo? Ele é o canal, o contato entre as duas personalidades. Agora, o Pai pega o telefone (como se ele precisasse) e diz: "Espírito Santo?"

— Sim, senhor — responde o Espírito quando atende.

— Quero que você leve Jesus até o deserto porque vou mandar o demônio testá-lo — diz Deus.

— Sim, senhor — diz o Espírito, e corre até Jesus:

— Jesus, vem comigo — fala.

Você consegue ver como o Espírito Santo é o contato entre as duas personalidades?

Ou imagine isso. Jesus está passando por um homem que está muito doente. Novamente, o Pai pega o telefone e diz: "Espírito Santo? Pare Jesus! Diga-lhe para ficar onde está."

— Está bem. Pare, Jesus — diz o Espírito.

Ele volta ao telefone e pergunta:

— Pai, o que ele deve fazer?

— Mande-o curar aquele homem — fala a voz de Deus.

Jesus imediatamente coloca suas mãos sobre o homem, o poder do Espírito fluindo por ele, e o homem é milagrosamente curado.

Aqui está o que é vital para que você se lembre — e quando compreender isso, o véu que cobre seus olhos sobre o papel do Espírito Santo se levantará: Sobre a Terra *Jesus não era nada mais do que um homem*. Ele não tinha "conhecimento da revelação" sem a voz do Espírito. E não podia se mover a não ser que o Espírito Santo o movesse.

Você já se perguntou por que, quando Jesus passava, alguns não eram curados? Por que ele não orava por todos os doentes? Por que não esticava o braço e os tocava? É porque o Pai não pediu ao Espírito Santo que Jesus fizesse isso. Cristo disse: "o mundo saiba que eu amo o Pai e que faço o que meu Pai me ordenou" (João 14:31). Jesus dependia do Espírito; ele era a linha que unia Cristo ao Pai.

Cristo era capaz de pecar?

Mesmo antes de enfrentar o Gólgota, Cristo se ofereceu ao Pai por meio do Espírito Santo. Ao comparar o sangue de Cristo ao sacrifício de animais, o livro dos Hebreus diz: "Quanto mais o sangue de Cristo, que pelo Espírito eterno se ofereceu de forma imaculada a Deus, purificará a nossa consciência de atos que levam à morte para que sirvamos ao Deus vivo!" (Hebreus 9:14).

Se ele não tivesse se oferecido por meio do Espírito Santo, não seria aceito aos olhos de Deus Pai. Nem teria suportado os sofrimentos da cruz. Se não tivesse se apresentado por meio do Espírito Santo, seu sangue não teria permanecido puro e imaculado.

E deixe-me acrescentar: se o Espírito Santo não estivesse com Jesus, ele poderia ter até pecado. Isso mesmo. O Espírito Santo foi o poder que o manteve puro. Não só foi enviado do Céu, mas foi chamado de Filho do homem — e como tal era capaz de pecar. O fato de que *não pecou* não significa que não *poderia*.

Se você acredita que Jesus não era capaz de pecar, então por que Satanás perderia seu tempo tentando-o? O demônio sabia o que estava fazendo. Sem o Espírito Santo, Jesus poderia não ter conseguido.

Jesus, na verdade, se ofereceu por meio do Espírito Santo para permanecer sem pecado. Ele dependia do Espírito até para ressuscitar dos mortos. Lembra-se do que Paulo disse? Cristo foi "declarado Filho de Deus com poder, pela sua ressurreição dentre os mortos" (Romanos 1:4).

Foi pelo poder do Espírito que Cristo foi ressuscitado. Aqui está o que a Escritura diz: "E, se o Espírito daquele que ressuscitou Jesus dentre os mortos habita em vocês, aquele que ressuscitou a Cristo dentre os mortos também dará vida a seus corpos mortais, por meio do seu Espírito, que habita em vocês" (Romanos 8:11). O Espírito não apenas ressuscitou Cristo; é ele quem vai ressuscitar você! Podemos colocar nele a nossa esperança.

O plano mestre de Deus

Mesmo depois que ele mudou o curso da história ao sair caminhando de uma tumba vazia, Cristo continuou a depender do Espírito. Na verdade, ele mandou os discípulos não saírem de Jerusalém até receberem poder do alto. Disse "esperem pela promessa de meu Pai, da qual lhes falei. Pois João batizou com água, mas dentro de poucos dias vocês serão batizados com o Espírito Santo" (Atos 1:4,5).

Cristo estava sob o controle de Deus quando falou essas palavras. Estava repetindo o que o Pai falou ao Espírito Santo.

Cristo dependia tanto do Espírito que foi para ele que se dirigiu antes de dar instruções a seus seguidores. As Escrituras dizem que ele foi levado ao Céu depois de dar instruções "por meio do Espírito Santo" aos apóstolos (Atos 1:2).

Não me interpretem mal! Não estou dizendo que Cristo estava em uma posição inferior à do Espírito. De jeito nenhum. Jesus não é menor do que o Espírito Santo, nem o Espírito Santo é menor do que Jesus. Há uma igualdade absoluta na Trindade. Cada membro possui características e propósitos únicos.

Quero que você saiba que o Espírito não é fraco. Ele não é imaturo ou incapaz de falar por si. O Espírito Santo é perfeito, poderoso e glorioso.

O Espírito merece nossa adoração. Devemos colocar em prática o que temos cantado há gerações: "Louvado seja Deus, de quem recebemos todas as bênçãos... Louvado seja o Pai, o Filho e o Espírito Santo."

Como você o reconhece? É tão simples quanto aquela vozinha que você ouve quando está prestes a adormecer, a voz que o faz lembrar: "Você não orou hoje." Ou ele pode dizer: "Você não leu a Palavra hoje." Esse é o Espírito falando, provocando sua alma. Você já o conhece, mas ele anseia ser mais conhecido.

O Senhor previu o que aconteceria se você abrisse espaço para o Espírito. Ele falou: "Quem crer em mim, como diz a Escritura, do seu interior fluirão rios de água viva" (João 7:38). E de que unção estava falando? "Ele estava se referindo ao Espírito, que mais tarde receberiam os que nele cressem" (v. 39).

Deus tem um detalhado plano mestre para sua vida. Sua unção e seu Espírito estão incluídos nele: "É Deus que faz que nós e vocês permaneçamos firmes em Cristo. Ele nos ungiu, nos selou como sua propriedade e pôs o seu Espírito em nossos corações como garantia do que está por vir" (2 Coríntios 1:21,22).

Você já criou um espaço para o Espírito Santo? *Tudo que ele pede é um lugar no seu coração.*

DEZ

"A um sopro de distância"

— Por que Deus não responde a minha oração?

— Por que não posso receber minha libertação e minha cura?

A resposta para sua necessidade mais urgente está perto — muito mais perto do que você imagina. Só uma palavra, falada do coração, pode fazer com que as nuvens mais escuras da vida desapareçam de repente. Está na hora de parar de pensar que Deus é um Espírito que não pode ser alcançado, residindo a milhões de quilômetros de distância. O Pai está tão perto que você pode conversar com ele a qualquer momento, e seu Espírito está tão próximo que pode lhe dar conforto, paz e direcionamento. Tudo que você tem de fazer é pedir e confiar que ele vai agir.

O que encontrei no Espírito não é algum segredo misterioso. É tão real quanto a própria vida e está tão perto quanto as batidas do seu coração. E é por isso que quero compartilhar com você.

O trabalho da Trindade

"Fraqueza" ou "vontade"?

Vamos começar com este fato sobre a Divindade: o que se aplica a um, não se aplica necessariamente a todos os três. Algumas vezes são diferentes, mesmo na maneira como se movem e na maneira como falam. Já discutimos o fato de que os membros da Divindade são pessoas distintas — embora sejam apenas um. Porém, quando se trata de nosso relacionamento pessoal e de nossa comunicação com "Deus", uma compreensão do Pai, do Filho e do Espírito é essencial.

Sempre que você vê Deus trabalhando, vai vê-lo como apenas um Deus. Mas começa a ver alguma distinção na maneira como eles pensam e como atuam.

Por exemplo, quando o povo judeu sob a Antiga Aliança pecou de maneira deliberada e consciente na presença do Pai, você lembra o que aconteceu? As Escrituras registram que foram mortos ou castigados.

Mas Cristo, o Filho, tratava de forma diferente aqueles que pecavam por vontade própria e consciente. Exemplo: considere os fariseus. Cristo os matou? Não! Ele os *repreendeu*.

Você pode dizer: "Benny, sempre acreditei que Cristo perdoava a todos." As Escrituras não registram se Jesus perdoou os Fariseus por seus pecados. Mas ele perdoou o criminoso na cruz quando este clamou sinceramente: "Sou um pecador!"

Não se engane. Deus Pai *realmente* perdoou, mas também matou ou puniu aqueles que se recusaram a deixar de se rebelar contra ele. Deus Filho, no entanto, respondia de outra maneira. Em vez de matar ou julgar o pecador, simplesmente o repreendia.

Você pode perguntar: "Mas e o Espírito Santo? Qual é sua resposta para uma pessoa que peca consciente e deliberadamente?" Ele reage diferentemente do Pai e do Filho. O Espírito não os remove ou repreende — *ele os condena* e retira o poder de sua presença.

Para onde eu deveria olhar?

A Trindade, como vemos, compreende três pessoas distintas e únicas. Mas você precisa entender a sua singularidade — sua unidade. É essencial reconhecer que essa unidade completa de que estamos falando está conectada à obra e à essência da Divindade.

A Palavra deixa claro que há diferenças — ou diversidades — de administração na Divindade, mas eles são um só. Eis o que Paulo explicou para a igreja de Corinto: "Há diferentes tipos de ministérios, mas o Senhor é o mesmo. Há diferentes formas de atuação, mas é o mesmo Deus quem efetua tudo em todos" (1 Coríntios 12:5,6). E quando ele escreve: "A cada um, porém, é dada a manifestação do Espírito, visando ao bem comum" (v. 7).

Paulo estava explicando a forma como a Divindade opera. Ele explicou que o Senhor Jesus é quem administra, o Pai é quem opera e o Espírito Santo é quem manifesta. Agora, essa é uma das poucas vezes na Palavra em que Jesus é mencionado primeiro e o Pai em segundo na ordem de reconhecimento.

Mas vamos colocá-los na ordem "usual" das Escrituras. Qual é a principal obra do Pai? Ele *opera*. E a do Filho? Ele *administra* a operação do Pai. E a do Espírito Santo *manifesta* a administração dessa operação.

Se você precisa de vida, a quem recorre? Olha para o Pai porque é ele que entrega todo dom perfeito e toda boa dádiva. Você diz:

"Benny, pensei que pedíamos a Jesus." Não. A fonte é o Pai. Mas o *entregador* dessa fonte é Cristo. E o *poder* da fonte é o Espírito Santo.

Assim, quando você precisa de vida, é isso que acontece. Olha para Deus Pai e diz: "Pai, dê-me vida!" Ou cura. Ou libertação. Entenda, Deus é a fonte disso.

Jesus falou: "Pedi ao Pai em meu nome." Apesar de estar se aproximando de Deus por meio do Filho, ainda é ao Pai que você está pedindo a dádiva. E seu pedido passa *pelo* Filho para chegar ao Pai.

Como essa dádiva é devolvida? Digamos que seu pedido seja de cura. Deus Pai — lembre-se de que agora que Deus é três pessoas — olha para Deus Filho e diz: "Você poderia curá-lo?"

Cristo faz a cura. Por quê? Porque esse é o papel do administrador. A própria palavra *administrar* significa ministrar ou servir. Assim, o Pai libera a cura para o Filho e o Filho a entrega.

Você pode se imaginar tentando receber sua cura e descobrindo que de alguma forma ela parece fora de alcance? Você estica seus braços o mais longe que pode, mas a dádiva parece estar além deles. Tão perto e, ao mesmo tempo, tão longe. O que aconteceu? O que está faltando?

É onde a obra do Espírito Santo entra em cena. Ele se apresenta para manifestar a cura que foi fornecida por Deus e entregue por seu Filho. *É o Espírito que completa o processo da sua cura.*

Ele está ao seu lado

Começou no Pentecostes. O Espírito Santo desceu do Céu para manifestar a palavra da Divindade. E onde exatamente está o Espírito hoje? Onde ele reside? O Espírito não está ao lado de Jesus como muitas pessoas bem-intencionadas acreditam. E ele não está ao lado do Pai. Ele foi entregue a você e a mim como *o Consolador* ou "aquele que está ao seu lado".

O Espírito Santo é seu ajudante. Sim, ele é seu assistente para ajudá-lo a receber a vida, a cura ou a libertação que você precisa tão desesperadamente.

Frequentemente alguém pergunta:

— Benny, para quem devo orar?

Minha resposta é:

— Por favor, não confunda a questão. Você ora ao Pai.

— Bem, então — fala o homem —, você nos disse para falar com o Espírito.

Tenho de dizer-lhes:

— Há uma enorme diferença entre falar e orar. Nunca orei para o Espírito Santo.

Você sabe qual é o significado da palavra *oração*? Oração significa "petição". Em outras palavras, você vem com sua necessidade pedindo uma resposta. Você vem buscando e esperando receber. Você nunca pede ao Espírito — ele é quem *ajuda* a buscar.

Até hoje, nunca disse: "Espírito Santo, 'dê-me' algo". Mas não posso me lembrar de quantas vezes disse: "Precioso Espírito Santo, ajude-me a pedir!"

Está começando a entender que sua resposta está a apenas um sopro de distância? Apenas uma palavra, esperando para ser dita. Pode ser um problema físico que o atormenta há anos. Ou pode ser um hábito que parece impossível de abandonar. A resposta de que você precisa está bem perto.

Não é hora de se virar para o Espírito de Deus e falar: "Espírito Santo, você é meu ajudante. Preciso de você. Pode me ajudar agora?" No segundo em que disser essas palavras do fundo do coração, o Espírito Santo vai colocar a mão sobre você e algo maravilhoso acontecerá. De repente, vai se encontrar literalmente "no Espírito" — absorvido em sua presença e em sua pessoa.

Três palavrinhas

Quando o Pai entrega algo a você, vem *do* Pai. E quando o Filho entrega algo, normalmente falamos que vem *por meio* de Jesus. Mas quando o Espírito Santo entrega, é dado *nele. De, por, em* — só três palavras, mas elas são fortes e poderosas.

Quando você lê a Palavra de Deus, o padrão é impressionante. Quando vemos como ela fala do Pai, está em termos de "o amor de Deus", "o poder de Deus", "a graça de Deus". É assim que Deus é apresentado muitas vezes.

Mas como Cristo é retratado? Muitas vezes, nas Escrituras, aprendemos que "louvamos por meio do Filho", "recebemos por meio do Filho", e por aí vai.

Porém, quando fala do Espírito Santo, a terminologia muda. A palavra *pelo* é usada. "Vivam pelo Espírito, e de modo nenhum satisfarão os desejos da carne" (Gálatas 5:16). E "Se vivemos pelo Espírito, andemos também pelo Espírito" (v. 25).

Quando Cristo disse à samaritana no poço: "No entanto, está chegando a hora, e de fato já chegou, em que os verdadeiros adoradores adorarão o Pai em espírito e em verdade. São estes os adoradores que o Pai procura" (João 4:23). Aqui, a palavra *em* simplesmente significa "um com ele". Em outras palavras, Cristo disse que o Pai procura aqueles que adoram e são um só com o Espírito.

Você está caminhando junto com o Espírito? Está vivendo junto com o Espírito? Chegar a esse relacionamento não é difícil. É tão simples quanto pedir ao Grande Ajudante: "Ajude-me!" É quando o Espírito de Deus vai tocá-lo e, na verdade, assisti-lo para lhe preparar para receber o que Deus quer lhe entregar.

O mais importante nisso tudo é que você percebe que a Trindade está realmente trabalhando em conjunto para alcançar um objetivo — atender a sua necessidade. Eles são Pai, Filho e Espírito Santo, mas também são apenas Um. Eles são uma equipe de pessoas, unidas em uma natureza, operando juntas em completo acordo e eterna harmonia.

Um relacionamento "de aliança"

É porque o Espírito Santo está aqui na Terra e ao seu lado que você *mantém* a cura e a libertação que recebeu. É por isso que Jesus pôde voltar ao Céu e, mesmo assim, você conseguiu reter na Terra o dom que ele lhe deu. Se quer saber como manter um relacionamento próximo com o Espírito Santo, ouça a palavra do grande profeta Ageu: "Esta é a aliança que fiz com vocês quando vocês saíram do Egito: Meu espírito está entre vocês. Não tenham medo" (Ageu 2:5).

Quando você pede ao Filho de Deus para entrar em seu coração, está fazendo uma aliança pessoal com Deus. E não é uma conversa unilateral. Deus também faz um acordo ou uma "aliança" com você. É dessa forma que ele sempre operou.

O Pai iniciou alianças com Adão, Noé, Abraão, Isaque, Davi e muitos outros. Mas assim como Deus procurou fazer acordos, a humanidade também buscou a Deus. É o que descobrimos com Jacó, Josué, Eliseu e os israelitas.

Quando os israelitas confessaram seus pecados a Deus, falaram:

> Agora, portanto, nosso Deus,
> ó Deus grande, poderoso e temível,
> fiel à tua aliança e misericordioso...
> ...É grande a nossa angústia!
> (Neemias 9:32, 37)

Depois Neemias falou ao Senhor:

> Em vista disso tudo,
> estamos fazendo um acordo, por escrito,
> e assinado por nossos líderes, nossos levitas e nossos sacerdotes.
> (v. 38)

Foi assinado por nada menos do que oitenta e quatro líderes que "se obrigam sob maldição e sob juramento a seguir a Lei de Deus dada por meio do servo de Deus, Moisés, e a obedecer fielmente a todos os mandamentos... do Senhor, o nosso Senhor" (Neemias 10:29).

Alianças com Deus foram ratificadas por uma variedade de atos incluindo apresentar-se (Esdras 10:14), perder o sapato (Rute 4:7-11), dar um banquete (Gênesis 26:30), erigir um monumento (Gênesis 31:45-53) e fazer um juramento (Josué 2:12-14).

A aliança mais importante de todas talvez seja a que Deus fez com você por meio de seu Filho quando ele "pelo sangue da aliança eterna trouxe de volta dentre os mortos o nosso Senhor Jesus" (Hebreus 13:20).

Uma palavra de advertência

Mas, assim como Deus tem uma aliança para sua salvação, você pode fazer um voto ou juramento com o Deus que lida com suas necessidades pessoais. Assumi vários compromissos com Deus e acredito que ele reconhece a sinceridade de um compromisso quando você afirma categoricamente o que está disposto a fazer em resposta à sua bênção.

Um fato é evidente: o Antigo Testamento está cheio de alianças que agradaram a Deus. E por que isso é importante para você? Porque Deus opera de acordo com as alianças e por meio delas, e pode-se entrar em uma aliança com ele para resolver qualquer necessidade especial. Você descobrirá que o Pai está sempre bastante disposto a cumprir com sua palavra.

Acredito que o Espírito Santo entra em sua vida como resultado da eterna aliança que Deus fez com você para salvá-lo. Ele é o mensageiro de Deus — e de Cristo — a partir daquele momento. E esse acordo deve ser levado a sério. Lembre-se do que aconteceu com Sansão. Depois que Dalila raspou a cabeça dele enquanto dormia, ela gritou: "'Sansão, os filisteus o estão atacando!' Ele acordou do sono e pensou: 'Sairei como antes e me livrarei'. Mas não sabia que o Senhor o tinha deixado" (Juízes 16:20). Quem havia partido fora o mesmo "Espírito do Senhor" que tinha se "apossado dele" (Juízes 15:14).

Você pode se imaginar estando no lugar dele? Acha que está preenchido, mas não está. Acredita que está ungido, mas o Espírito desapareceu. Sansão ignorava completamente que traíra seu chamado e sua aliança com Deus. Acreditava que ainda tinha força, mas o Espírito havia desaparecido de sua vida.

A mesma coisa aconteceu a Saul. O Senhor o rejeitou como rei porque "ele me abandonou e não seguiu as minhas instruções" (1 Samuel 15:11). O Espírito não apenas o deixou, mas algo ainda pior aconteceu: "O Espírito do Senhor se retirou de Saul, e um espírito maligno, vindo da parte do Senhor, o atormentava" (1 Samuel 16:14).

O vácuo será preenchido

Você sabe que todo descrente é bastante influenciado por demônios? Parece chocante, mas é o que as Escrituras dizem: "Vocês estavam mortos em suas transgressões e pecados, nos quais costumavam viver, quando seguiam a presente ordem deste mundo e o príncipe do poder do ar, o espírito que agora está atuando nos que vivem na desobediência" (Efésios 2:1,2).

Você diz: "Mas isso nunca poderia acontecer comigo! Estou preenchido com o Espírito Santo." Isso pode ser verdade, mas se por alguma razão a presença do Espírito Santo o abandonar, um vácuo é criado e Satanás está procurando exatamente isso. Nesse momento, sua *influência* transforma-se em *opressão*.

Ninguém gosta de falar sobre demônios. Os pregadores não pregam sobre eles. Os cristãos não os discutem. E os pecadores apagam o assunto horrível de suas mentes. É como um político evitando o assunto das drogas e da criminalidade, pensando que de alguma forma essas coisas vão desaparecer. Mas Cristo tratou do assunto sem medo. Contou como os demônios estão sedentos para invadir sua vida.

Jesus disse aos fariseus: "Quando um espírito imundo sai de um homem, passa por lugares áridos procurando descanso. Como não o encontra, diz: 'Voltarei para a casa de onde saí'. Chegando, encontra a casa desocupada, varrida e em ordem. Então vai e traz consigo outros sete espíritos piores do que ele, e, entrando, passam a viver ali" (Mateus 12:43-45). Ouça bem o que o Senhor fala em seguida: "E o estado final daquele homem torna-se pior do que o primeiro" (v. 45).

O plano de ataque de Satanás é este: todo demônio que partiu, volta para uma visita — para ver se ainda existe uma oportunidade. E se tiver chance, trará outros com ele. É uma situação assustadora, mas que pode ser evitada se ficarmos completamente preenchidos com o Espírito Santo e nunca quebrarmos nossa aliança com Deus.

Você se lembra da história dos discípulos que fracassaram na tentativa de curar uma criança? Foi enquanto Cristo estava no Monte da Transfiguração sendo glorificado. E quando o Mestre desceu da montanha, o pai do menino disse: "Senhor, tem misericórdia do meu filho. Ele tem ataques e está sofrendo muito. Muitas vezes cai no fogo ou na água. Eu o trouxe aos teus discípulos, mas eles não puderam curá-lo" (Mateus 17:15,16).

Porém, era preciso mais do que uma cura física. Cristo disse: "Tragam-me o menino. Jesus repreendeu o demônio; este saiu do menino que, daquele momento em diante, ficou curado" (v. 17,18).

O Senhor não quer apenas remover Satanás e seus demônios da sua vida — aquelas coisas que são barreiras para sua cura e libertação —, mas quer preencher esse vazio. É por isso que enviou o Consolador. Quer que você seja *cheio* do Espírito.

Bem agora, o Espírito está na Terra. Na verdade, está esperando pacientemente por seu convite.

Só é necessário uma palavra, até um suspiro — "Espírito Santo, por favor, ajude-me!"

Sua resposta está a um sopro de distância.

ONZE

"Por que você está chorando?"

— Benny, a blasfêmia contra o Pai pode ser perdoada? — um cristão novo me perguntou recentemente.

— Pode — respondi.

— E a blasfêmia contra o Filho?

— Essa também pode ser perdoada — falei.

— Então, você pode me contar por que a blasfêmia contra o Espírito Santo não pode ser perdoada?

Livre do medo

O assunto é problemático para muitas pessoas. Mas o Espírito me liberou do medo de cometer "o pecado imperdoável". Ele esclareceu minha compreensão com tamanha revelação que não me preocupei mais com o assunto.

"Ele estava chorando em silêncio"

No inverno de 1974, Deus abriu meus olhos para uma verdade tremenda em relação à natureza do Espírito Santo e o motivo pelo qual o Pai e o Filho deram um aviso "final" àqueles que blasfemassem contra o Espírito.

Estava orando quando, repentinamente, soube que o Espírito de Deus estava em meu quarto e senti que ele estava chorando. Sei que soa estranho e devo confessar que não entendi completamente. Mas lembro-me de que estava de joelhos quando senti sua presença e senti que estava chorando bem baixinho.

Você pode dizer: "Bem, como você sabia que era o Espírito?" Para mim, questionar a realidade daquele momento seria questionar minha salvação, de tão real que a experiência era. Não consigo explicá-la ou compreendê-la, mas sei que aconteceu.

A experiência era tão real que literalmente virei meu rosto para a esquerda e disse: "Espírito do Senhor, por que está chorando?"

Não houve resposta. E naquele momento, as lágrimas começaram a escorrer pelo meu rosto. Com meus olhos molhados, perguntei novamente: "Espírito do Senhor, por que está chorando?"

De repente, todo meu ser começou a chorar. Já não eram apenas lágrimas; a realidade do que senti foi tão grande que comecei a gemer. O sentimento vinha do fundo. Era como se eu estivesse muito machucado — como uma pessoa que tivesse acabado de perder um filho ou uma filha.

O pranto profundo não parava. Fiquei chorando toda noite e não conseguia dormir. E continuou, não por horas, mas por dias. Não foi planejado e, para dizer a verdade, não conseguia entender por que as lágrimas eram tão incontroláveis. No total, a experiência durou mais de três semanas.

O fardo se tornou cada vez mais pesado. Senti como se alguém tivesse pegado uma carga de mil quilos, amarrado nas minhas costas, apertado bem, fechado com um cadeado e me deixado lutando sozinho. De fato, foi como se eu estivesse sobrecarregado com um fardo pesadíssimo e opressivo de tristeza. Essa é a única forma de descrever — um fardo de tristeza.

Arrastando-me

Sentia-me como o salmista quando escreveu:

> Estou exausto de tanto gemer.
> De tanto chorar inundo de noite a minha cama;
> de lágrimas encharco o meu leito.
> (Salmo 6:6)

Lá estava eu, sofrendo e sem saber o porquê, arrastando-me e procurando uma razão.

Olhava para cima e dizia: "Senhor, por quê?" Orei para ser liberado desse peso inexplicável sobre meus ombros. Naquele momento, Deus Todo-poderoso transformou aquele peso de tristeza em um fardo pelas almas perdidas que nunca tinha sentido antes.

O que começou com minha pergunta ao Espírito Santo: "Por que você está chorando?", terminou com um fardo pelos perdidos que mudou a minha vida e nunca me abandonou — em nenhum momento — até o dia de hoje.

Saí dessa experiência (apesar de ainda não compreendê-la totalmente) convencido de que o Espírito Santo se entristece pelo mundo. Estou totalmente persuadido que com lágrimas ele procura servos para espalhar o amor de Deus. Acredito que o Espírito do coração do Pai está entristecido com as necessidades da humanidade. Talvez naquelas semanas ele tenha me permitido sentir apenas um vislumbre da sua agonia pelos perdidos.

Não tive dúvidas sobre qual seria o futuro de Benny Hinn. Sabia que *devia* pregar a mensagem do Pai, do Filho e do Espírito Santo. E não parei de fazer isso desde então.

O Espírito é tão especial que quando ele encontra uma pessoa que pode usar, permite que ela sinta a batida do seu coração. Quando você tiver sentido a dor que o Espírito Santo sente, isso fica marcado em sua consciência e nunca irá deixá-lo. Você não apenas vê as necessidades da humanidade; você *sente* essas necessidades desesperadas como nunca antes.

Mas acredito que havia outra razão para Deus me permitir suportar essa lição. Abriu meus olhos para o fato de que o Espírito Santo é um membro da Trindade e, ao mesmo tempo, diferente do Pai e do Filho. E pude juntar as peças do quebra-cabeça chamado "pecado imperdoável".

Insulto e calúnia

O que dizem as Escrituras exatamente?

Jesus, falando aos fariseus, disse: "Aquele que não está comigo, está contra mim; e aquele que comigo não ajunta, espalha. Por esse motivo eu lhes digo: Todo pecado e blasfêmia serão perdoados aos homens, mas a blasfêmia contra o Espírito não será perdoada" (Mateus 12:30,31). Depois, deixando tudo mais claro, ele falou: "Todo aquele que disser uma palavra contra o Filho do homem será perdoado, mas quem falar contra o Espírito Santo não será perdoado, nem nesta era nem na que há de vir" (v. 32).

O que abrange a palavra *blasfêmia*? A palavra possui vários significados incluindo:

Falar mal de

Injuriar (ou zombar)

Atacar verbalmente — ou abusar, repreender ou falar profanidades de

Difamar — falar de forma injuriosa

Caluniar — ou acusar falsamente

Insultar

Alguns podem perguntar: "Como você difama o Espírito Santo?" Ou "Como você o insulta?" É um ato *voluntário*.

O livro dos Hebreus fala diretamente sobre a questão:

> Se continuarmos a pecar deliberadamente depois que recebemos o conhecimento da verdade, já não resta sacrifício pelos pecados, mas tão somente uma terrível expectativa de juízo e de fogo intenso que consumirá os inimigos de Deus. Quem rejeitava a Lei de Moisés morria sem misericórdia pelo depoimento de duas ou três testemunhas. Quão mais severo castigo, julgam vocês, merece aquele que pisou aos pés o Filho de Deus,

> profanou o sangue da aliança pelo qual ele foi santificado, e insultou o Espírito da graça?
> (Hebreus 10:26-29)

As palavras são seguidas por este lembrete austero: "Pois conhecemos aquele que disse: 'A mim pertence a vingança; eu retribuirei' e outra vez: 'O Senhor julgará o seu povo.' Terrível coisa é cair nas mãos do Deus vivo!" (v. 30,31).

Que diferença!

Por que não há perdão para a blasfêmia contra o Espírito Santo? Pelas páginas deste livro, compartilhei com você, a partir das Escrituras, que havia algo único — *uma diferença* — no Espírito Santo. Ele não é maior nem menor do que o Pai ou o Filho, mas precisamos conhecer suas características.

Deus Todo-poderoso, o Pai, é o grande Deus do Céu e deve ser adorado, louvado, glorificado, magnificado e exaltado. Jesus, seu Filho, é o Senhor da glória, a quem até os anjos devem temer. Sinto também que o Espírito Santo tem a capacidade de sentir emoções humanas — até dor, tristeza e angústia — com uma intensidade que apenas ele conhece.

Você diz: "Quer dizer que o Espírito Santo pode sentir tristeza de uma forma diferente da que sentem o Pai e o Filho?" As Escrituras não dizem: "Não entristeçam o Pai ou o Filho." É sempre: "Não entristeçam o Espírito." Por quê? Acredito que é porque ele é tocado de uma forma profunda que, de alguma maneira, difere das que os outros membros da Divindade experimentam.

O próprio fato de Jesus dizer que "uma palavra contra o Filho do Homem será perdoada" mas "uma palavra contra o Espírito Santo não será perdoada" indica que o Espírito Santo pode ser ferido.

Por que o Pai diria: "Vocês entristeceram meu Espírito"? Em outras palavras, o Espírito de Deus foi afligido ou atormentado. E as Escrituras registram que "Por isso ele se tornou inimigo deles e lutou pessoalmente contra eles" (Isaías 63:10). Por que o Espírito Santo parece estar tão protegido? Talvez seja porque Deus Pai sabe quão terno é o Espírito. É quase como se Deus Pai estivesse dizendo: "Se tocar nele, nunca vou perdoá-lo."

Por que o Espírito Santo é tão defendido por Cristo que Jesus diria: "Meu sangue consegue lavar todo pecado menos esse?" Ele até disse: "Mas quem blasfemar contra o Espírito Santo nunca terá perdão: é culpado de pecado eterno" (Marcos 3:29). Por quê? Novamente é porque o Espírito Santo é diferente e seu coração pode facilmente ser tocado pela dor.

Mas posso dar uma palavra de conforto? Antes de Jesus ter falado em blasfêmia, ele fez uma importante declaração que você deveria ler mais uma vez. Ele falou: "Aquele que não está comigo, está contra mim; e aquele que comigo não ajunta, espalha" (Mateus 12:30).

Se estiver trabalhando para Cristo, não cai na categoria de sua advertência. Quando o Senhor falou sobre a questão da blasfêmia, deixou absolutamente claro que estava exortando as pessoas que não estavam trabalhando com ele.

Pergunte-se: "Estou com ele?" Se a resposta for sim, então se pergunte: "Eu junto almas para ele?" Se a resposta ainda for sim, você pode dizer: "Então nunca vou blasfemar contra o Espírito."

Você está preocupado?

Uma vez, uma adolescente me procurou, convencida de que tinha blasfemado contra o Espírito Santo.

— Está preocupada? — lhe perguntei.

— Estou — ela falou com um olhar apreensivo.

— Senhorita — falei —, o simples fato de estar preocupada significa que não blasfemou contra o Espírito.

Entenda, blasfêmia é um ato de vontade que não carrega a preocupação consigo.

Blasfemar é amaldiçoar Jesus e dizer: "Não me importa o que ele fez!" É falar: "Quem se importa quão precioso é o sangue dele?" Blasfêmia é insultar o que Deus fez e fazer isso conscientemente.

Você diz: "Bem, Benny, como posso saber se nunca vou cometer esse pecado? "Você não cometerá esse pecado enquanto nunca *desejar* cometê-lo.

Olhe atentamente para o que Cristo disse. Ele falou que qualquer um que "fala" contra o Espírito não será perdoado. Aquela palavra é vital para a mensagem de Cristo. Falar indica um ato deliberado. É mais do que um pensamento perdido. Todo seu corpo acaba envolvido no ato de pronunciar essa palavra.

Se o Espírito é blasfemado, ele é insultado por aqueles que tomaram uma *decisão* de blasfemar. É um ato de vontade, uma escolha que você deve exercer.

Onde entra Satanás em tudo isso? Por lidar com muitas pessoas como um ministro, sei como o demônio se aproxima e tenta encher suas mentes com pensamentos ruins sobre o Espírito Santo. Você esperaria menos dele? Talvez já tenha acontecido com você.

Você já teve algum pensamento "impróprio" que desejava nunca ter tido entrando em sua mente? Quem lançou esse pensamento maligno na sua direção? É claro que foi Satanás. Mas você falou isso em voz alta? Não! O motivo de se manter em silêncio foi que não era seu pensamento.

É a pessoa que fala contra o Espírito Santo que tomou a decisão de blasfemar. É aquele que diz: "Vou blasfemar e não me importa o que Deus pensa!"

Saul blasfemou contra o Espírito Santo quando rejeitou a palavra de Deus. Demas, um dos companheiros de Paulo, blasfemou quando abandonou o Evangelho e retornou à luxúria da carne. Paulo escreveu: "Demas, amando este mundo, abandonou-me e foi para Tessalônica" (2 Timóteo 4:10).

Não deixe que ele parta

Você diz: "Está nos dizendo que não podemos blasfemar. E Saul e Demas?" A questão que estou levantando é que não dá para blasfemar quando tiver tomado a decisão de viver para Jesus e continuar com ela.

A estrada para a eternidade está cheia de pessoas que começaram com Cristo e terminaram com Satanás. Há aqueles que andam por um corredor e apertam a mão do pregador, como algum tipo de apólice de seguro para uma mansão no Céu. Mas seus corações não seguem suas ações. Logo você descobre aquelas mesmas pessoas se apaixonando pela luxúria, pelo dinheiro ou pelo brilho do mundo. E dizem: "Deus, indo embora."

Você pode se perguntar: "Como sei que o Espírito Santo ainda está comigo? E como vou saber quando e se ele partiu?"

É uma artimanha de Satanás atacá-lo e encher sua mente com as palavras: "O Espírito Santo o abandonou. Ele foi embora para sempre. Nunca mais o terá de volta!"

Mas não aceite isso. Eis como você pode saber que o Espírito ainda está com você. Isso foi de grande ajuda para mim e acredito que também será para você. Primeiro, as Escrituras nos dizem que o Espírito Santo permanece com cada cristão como conselheiro e fonte de paz. Segundo, *você tem consciência da presença de Jesus na sua vida?* Então o Espírito Santo não foi embora. *Você ainda ouve o Espírito de Deus dizer: "Ore!"* Ele não foi embora. *Você às vezes sente culpa por não ler a Palavra?* Ele não foi embora; na verdade, ele o está convencendo. *Conheceu alguém e sentiu a necessidade de falar sobre Jesus para essa pessoa?* Ele ainda está ali.

Jesus não estava sendo contraditório quando disse que o Espírito estará para sempre com você. Estava falando do fato de que o papel do Espírito é permanente — até eterno. Veja, se você blasfemar contra ele, o Espírito irá embora. Mas se o entristecer, ele não o abandonará. Vai ficar, mesmo quando você o ferir. Acredito que os cristãos deixam o Espírito triste todo dia. Eu, com certeza, sou culpado disso.

Ferir o Espírito Santo é o pecado da igreja. É por isso que Paulo disse à igreja: "Não entristeçais o Espírito!" Ele não estava dirigindo essas palavras aos incrédulos.

E se eu fracassar?

Você pode perguntar: "Como nós o entristecemos?" Você faz isso quando não perdoa. Você o entristece quando diz algo feio ou errado. Mas sua oração diária deve ser: "Abençoado Espírito de Deus, por favor, ajude-me hoje a não entristecê-lo."

E se você falhar? Ele está mais do que ansioso por ouvi-lo dizer: "Por favor, perdoe-me." E vai perdoá-lo e purificá-lo setenta vezes sete.

O Espírito Santo é tão gentil que mesmo a ferida mais leve lhe causaria dor. E quanto mais você o conhecer, mais entenderá seus sentimentos. Tantas vezes, com lágrimas, falei: "Espírito Santo, perdoe-me pela angústia que lhe causei. Mas, por favor, por favor, fique ao meu lado."

Há momentos em que lhe falei: "Você pode me castigar, mas não me abandone!" Porque quem o Senhor castiga, ele ama. É como dizer: "Amo você."

Acredito que se uma pessoa permanece em um estado de falta de perdão, o Espírito do Senhor permitirá que atormentadores entrem nela. Foi o que Cristo contou a Pedro quando o discípulo perguntou: "Senhor, quantas vezes deverei perdoar a meu irmão quando ele pecar contra mim? Até sete vezes?" (Mateus 18:21).

O Senhor respondeu: "Eu lhe digo: Não até sete, mas até setenta vezes sete" (v. 22). Depois nos deu a parábola do servo impiedoso, que termina com o aviso: "'Você não devia ter tido misericórdia do seu conservo como eu tive de você?' Irado, seu senhor entregou-o aos torturadores, até que pagasse tudo o que devia" (v. 33,34).

Cristo concluiu a parábola dizendo: "Assim também lhes fará meu Pai celestial, se cada um de vocês não perdoar de coração a seu irmão" (v. 35).

Isso significa que o Espírito Santo retirou-se permanentemente? Não. Significa apenas que Deus removerá sua mão protetora daqueles que não perdoarem.

Uma pessoa que blasfemou totalmente contra o Espírito Santo se encontra cheia dos demônios de Satanás. Mas se você perguntar: "Benny, você acredita que um demônio pode possuir um cristão que está cheio do Espírito Santo?" De forma nenhuma!

No entanto, acredito que uma pessoa que fez uma confissão de fé em Cristo, mas não está vivendo para o Senhor — que está vivendo sem perdão — pode ser influenciada por demônios. Eles podem ser perseguidos e até *oprimidos* pelos poderes das trevas, mas não possuídos.

Pedro, por exemplo, disse: "Senhor, você não vai morrer." E Jesus respondeu: "Afaste-se, Satanás." Pedro não estava possuído por Satanás. Estava influenciado. Há uma grande diferença.

Jesus disse, por meio do Espírito: "Nunca vou deixá-lo nem desampará-lo." E isso, meu amigo, é uma boa notícia. E com ele ficando, é mais importante saber o que ele fará por nós do que as coisas que Satanás vai fazer contra nós.

Você não pode fazer isso sozinho

Tenho certeza de que seu maior desejo é amar a Deus com seu espírito, alma e corpo. Mas não importa quão forte é seu desejo, é absolutamente impossível alcançar seu objetivo sozinho. É imperativo que diga: "Espírito Santo, estou pedindo que me ajude."

Paulo escreveu à igreja de Roma: "E a esperança não nos decepciona, porque Deus derramou seu amor em nosso coração, por meio do Espírito Santo que ele nos concedeu" (Romanos 5:5).

Certamente queremos amar a Cristo, mas é impossível a menos que o Espírito nos dê um amor sobrenatural. E como você o recebe? Simplesmente diz: "Espírito de Deus, eu me entrego a você." Naquele exato momento ele fluirá por sua alma com um amor pelo Senhor.

Quanto mais profundamente você conhecer o Espírito Santo, mais profundamente conhecerá a Jesus. É automático. Por quê? Porque quando o Espírito está presente, Cristo é promovido. Jesus falou: "Ele deve me glorificar!" O Senhor nunca é deixado de lado; ao contrário, é puxado para mais perto.

Paulo escreveu: "Portanto, agora já não há condenação para os que estão em Cristo Jesus" (Romanos 8:1).

Você entende o que significa verdadeiramente andar segundo o Espírito? Quando ele fala "Ore", é isso que você vai fazer. Quando ele fala "Testemunhe", é o que você fará. De repente, estará andando segundo o Espírito.

A alegria da liberdade no Espírito

Desobedecer é sentir condenação e depois culpa. Mas se você atende seu chamado, sabe a alegria da liberdade no Espírito: "Porque por meio de Cristo Jesus a lei do Espírito de vida me libertou da lei do pecado e da morte" (Romanos 8:2). O legislador na Antiga Aliança era o Pai, mas na Nova Aliança é o Espírito Santo. Jesus deu os mandamentos *por meio* do Espírito (Atos 1:2), assim como Deus entregara a lei *por meio* de Moisés.

Sete revelações

Que alegria refletir sobre as vitórias descritas por Paulo em Romanos 8. Na verdade, Paulo fala de sete revelações específicas nos dezesseis primeiros versículos de sua carta.

Talvez em nenhum outro lugar das Escrituras o trabalho do Espírito esteja tão claramente definido.

1. Há poder sobre o pecado. A primeira revelação diz que a lei do Espírito da vida o libertará do pecado e da morte (v. 1,2). Você dominará o pecado.

2. Ele irá cumprir a lei. "Porque, aquilo que a Lei fora incapaz de fazer por estar enfraquecida pela carne Deus o fez, enviando seu próprio Filho, à semelhança do homem pecador... a fim de que as justas exigências da Lei fossem plenamente satisfeitas em nós, que não vivemos segundo a carne, mas segundo o Espírito" (v. 3,4).

Foi o cumprimento da Lei de Moisés que produziu a liberdade que agora temos no Espírito.

3. Ele lhe dará a mente de Deus. "Quem vive segundo a carne tem a mente voltada para o que a carne deseja, mas quem vive de acordo com o Espírito, tem a mente voltada para o que o Espírito deseja. A mentalidade da carne é morte, mas a mentalidade do Espírito é vida e paz; a mentalidade da carne é inimiga de Deus porque não se submete à Lei de Deus, nem pode fazê-lo. Quem é dominado pela carne não pode agradar a Deus" (v. 5-8).

4. *Ele lhe dará justiça.* "Entretanto, vocês não estão sob o domínio da carne, mas do Espírito, se de fato o Espírito de Deus habita em vocês. E, se alguém não tem o Espírito de Cristo,

não pertence a Cristo. Mas se Cristo está em vocês, o corpo está morto por causa do pecado, mas o espírito está vivo por causa da justiça" (v. 9,10).

5. *Ele dará vida a seu corpo.* "E, se o Espírito daquele que ressuscitou Jesus dentre os mortos habita em vocês, aquele que ressuscitou a Cristo dentre os mortos também dará vida a seus corpos mortais, por meio do seu Espírito, que habita em vocês" (v. 11).

Se você seguir os passos do Espírito Santo, caminhará com saúde. Terá um corpo vivificado. Como disse o profeta Isaías: "Aqueles que esperam no Senhor renovam as suas forças" (40:31). Meu amigo, não há como renovar suas forças sem o Espírito Santo porque ele é quem vivifica o corpo mortal.

6. *Ele trará morte ao ego.* "Portanto, irmãos, estamos em dívida, não para com a carne, para vivermos sujeitos a ela. Pois se vocês viverem de acordo com a carne, morrerão; mas, se pelo Espírito fizerem morrer os atos do corpo, viverão, porque todos os que são guiados pelo Espírito de Deus são filhos de Deus" (v. 12-14).

7. *Ele vai testemunhar sua salvação.* "Pois vocês não receberam um espírito que os escravize para novamente temerem, mas receberam o Espírito que os adota como filhos, por meio do qual clamamos: 'Aba Pai'. O próprio Espírito testemunha ao nosso espírito que somos filhos de Deus" (v. 15,16).

Versículo após versículo, Paulo diz que é o Espírito quem realiza a obra do Pai e do Filho. E fico muito animado sempre que leio essas palavras gloriosas: "Porque todos os que são guiados pelo Espírito de Deus são filhos de Deus."

Deus não quer que você se desvie do caminho que ele preparou para você seguir. Ele não o criou para vê-lo fracassar. É por isso que você não deve ficar desnecessariamente alarmado pela possibilidade de cometer um pecado imperdoável, uma blasfêmia contra o Espírito Santo.

Seu amor por Cristo supera tanto a influência de Satanás que a batalha já foi ganha. O Espírito Santo anseia começar uma relação pessoal profunda com você.

Quando minha alma clamou com um choro sincero que parecia interminável, o Espírito estava esperando pacientemente. Seu fardo se tornou meu fardo e a experiência me deu uma paixão por almas que nunca diminuiu, nem desapareceu.

Ele estava esperando para me dar poder, plenitude, justiça, uma vida dirigida pelo Espírito e muito mais.

E agora ele está esperando por você.

DOZE

Céu na Terra

Meus primeiros "sermões" em 1974 e começo de 1975 não tinham muito conteúdo. Eram basicamente o meu testemunho da obra do Espírito — de como ele se tornou tão real para mim. Naqueles dias, eu realmente não sabia muito e havia muitas coisas a aprender.

Seguindo a voz do Espírito

Mas, durante 1975, ouvi a voz inconfundível do Espírito Santo me contando que era hora de começar a realizar reuniões semanais em Toronto. Ele falou: "Siga-me. Ouça minha voz e levará muitos a Cristo."

E assim comecei. Nas noites de segunda-feira, agendamos uma série de cultos que continuariam pelos próximos cinco anos. Começamos no auditório de um colégio e as multidões se tornaram tão grandes que tivemos de nos mudar para instalações maiores. Centenas e centenas de pessoas participaram.

Os cultos eram completamente dirigidos pelo Espírito e eu ouvia sua voz cada vez mais perto. As pessoas eram libertas de vícios sérios. Famílias eram reunidas. Tínhamos "filas de cura" e ouvíamos testemunhos de milagres. Mas sempre, sempre, os cultos resultavam na salvação de almas perdidas.

Então, algo aconteceu. As pessoas começaram a receber milagres, libertações e curas enquanto estavam sentadas em suas cadeiras. Não havia filas para a "imposição de mãos". Deus começou a fazer sua obra por todo o auditório — tão livremente que não havia tempo para ouvir todos os testemunhos.

A imprensa começou a perceber. Nas primeiras páginas do *Toronto Star*, do *Toronto Globe and Mail* e de outros jornais de todo o Canadá saíram matérias sobre as "Cruzadas de Milagres" que estávamos realizando.

Em dezembro de 1976, o *Globe and Mail* enviou um repórter a um dos cultos para descrever em detalhes o que estava acontecendo. Ele escreveu sobre as curas e os testemunhos, e terminou o artigo me citando: "Não estou interessado em divulgar Benny Hinn. Não estou e nunca estarei. Jesus é quem [...] deve ser divulgado e exaltado. Queremos levar almas para o Senhor Jesus. Quero ver almas, almas, almas, almas, almas. Amigos, conseguem entender isso?"

Sob a manchete "A cura pela fé realmente funciona?", o *Toronto Star* apresentou quatro estudos de caso de pessoas que foram curadas em nossos cultos. Contou sobre um trabalhador da fábrica da GM em Oshawa que tinha câncer de garganta. "Esta semana, depois de um check-up na clínica do câncer, recebeu a notícia de que não havia mais qualquer vestígio da doença."

Contou a história de um caminhoneiro de Beavertown: "Um homem, que não era frequentador da igreja e que tinha sofrido com insuficiência cardíaca e um leve enfisema (uma doença pulmonar) por sete anos, foi convencido por amigos a participar de uma cruzada de cura. 'Fui ao médico três dias depois e ele me contou que não tinha nada errado comigo', conta. 'Deus deve ter feito isso'."

E os médicos? O repórter citou um, dizendo: "Olha, há mais coisas acontecendo neste mundo do que sabemos."

As redes de televisão começaram a filmar documentários sobre o que Deus estava fazendo. A Canadian Broadcasting Corporation (CBC), a Global RV e a grande rede independente em Toronto, a Channel 9, produziram especiais. Tivemos nosso próprio programa semanal de televisão, que foi transmitido em horário nobre, depois do *60 Minutes*, por um ano e meio.

Um táxi amarelo em Pittsburgh

Deixar a grande cidade de Toronto em 1979 não foi fácil para mim. Era onde eu tinha sido salvo, curado e tocado pelo poderoso Espírito de Deus. A imprensa não tinha nada além de boas notícias para informar sobre o ministério. Mais uma vez, prometi seguir a liderança do Espírito Santo.

Sabia que ele queria que eu construísse uma igreja e estabelecesse um ministério internacional. Ele tinha falado sobre isso anos antes, em 1977. Lembro-me exatamente onde aconteceu. Foi em Pittsburgh, andando em um grande táxi amarelo, que tive uma conversa com o Espírito sobre isso. Em relação ao ministério, ele falou: "Ele vai tocar o mundo!"

Eu me perguntei: "Onde será? Nova York? Los Angeles?" Mas, sabe, o Espírito tem uma forma surpreendente de guiá-lo.

Em julho de 1978, viajei para Orlando, na Flórida, para falar com o Pastor Roy Harthern. Ele me contou sobre sua filha, Suzanne, que estava frequentando a Evangel College, em Springfield, no Missouri. Como era solteiro, fiquei animado.

Eu me convidei para voltar e passar o Natal com eles, e Suzanne estava em casa para os feriados. A primeira vez que a vi, o Senhor disse: "Essa é sua esposa." Apenas isso! Eu senti. E ela também.

Mas precisava ter certeza, então comecei a pedir "sinais" a Deus. Ficava levantando "problemas". E todos eram respondidos. Pensava: *É só coincidência? Ou Deus realmente quer que eu me case com essa jovem?*

Tentei então um último sinal — um bem difícil.

Estava voando de volta para Orlando vindo de San Jose, na Califórnia, em 1.º de janeiro de 1979. Tinha feito uma viagem rápida para pregar no culto de Ano-novo. No avião, tive uma conversa com Deus. Falei: "Se ela realmente deve ser minha esposa, faça com que me diga, quando eu voltar: 'Fiz um cheesecake para você'." Foi o teste mais difícil que pude pensar.

Suzanne me encontrou no aeroporto de Orlando e as primeiras palavras que saíram da sua boca foram: "Benny, fiz um chessecake para você." Depois, continuou: "Não espere muita coisa. Nunca fiz um cheesecake antes."

Ficamos noivos em duas semanas e nos casamos mais tarde naquele ano.

Com o passar do tempo, todos os sinais apontavam para Orlando, na Flórida, como o lugar onde começaríamos um ministério mundial. Com umas poucas pessoas, o Orlando Christian Center começou em 1983. Agora, ele toca a vida de milhares de pessoas toda semana, além de ter uma audiência nacional via televisão.

Ele não é um promotor

Para ser honesto, não tinha ideia de onde o Espírito levaria minha vida quando comecei meu relacionamento com ele. Tudo que eu sabia era que ele era real e desejava minha amizade. Queria ser meu professor e guia.

Mas aqui mostro o que cheguei a aprender. O Espírito Santo nunca vai se promover; ele vai promover Jesus. Nunca vai criar um lugar de grandeza somente para si; dará a honra ao Senhor.

Também aprendi que o Espírito não é a fonte dos dons de Deus. Ele é quem o ajuda a *receber* do doador, que é Deus Pai. É também ele quem o ajuda a *receber* Deus Filho como Salvador e Senhor.

Seu pedido ao Espírito

Mesmo um descrente sente o poder do Espírito Santo! Conversei com centenas de pessoas sobre suas experiências de conversão e muitas me contaram: "Estava acontecendo algo que não consegui explicar. Sentia-me desconfortável em relação às coisas que estava fazendo." Esse é o poder de convencimento do Espírito.

O Senhor disse: "Meu Espírito não contenderá com ele para sempre" (Gênesis 6:3). Há um "combate" acontecendo quando o Espírito Santo tenta mostrar que você precisa do Senhor. É por isso que as pessoas ficam tão desconfortáveis na presença de Deus antes de serem salvas.

O Espírito é, na verdade, um testemunho de Jesus! "Quando vier o Conselheiro, que eu enviarei a vocês da parte do Pai, o Espírito da verdade que provém do Pai, ele testemunhará a meu respeito" (João 15:26). O propósito vital do Espírito é guiar as pessoas até Cristo.

O Espírito condena e convence. Conheci pessoas que deixaram um encontro do evangelho e se sentiram, literalmente, "perseguidas" pelo Espírito Santo. Sentiram-se miseráveis em seus pecados. Sentiam uma pontada contínua no coração. O Espírito não os abandonou enquanto não fizeram as pazes com Deus por meio de seu Filho.

Ele vai entrar em sua mente e apresentar a verdade das Escrituras, convencendo-o da validade do evangelho.

E depois que tiver dado seu coração a Cristo, ele ainda estará ali, ajudando-o a testemunhar pelo Senhor. O profeta Miqueias escreveu:

> Mas, quanto a mim, graças ao poder do Espírito do Senhor,
> estou cheio de força e de justiça,
> para declarar a Jacó a sua transgressão,
> e a Israel o seu pecado.
> (Miqueias 3:8)

Ele pode lhe dar o poder para falar. De fato, é inútil tentar proclamar a Palavra de Deus sem o Espírito Santo sobre você.

"Ajude-me!"

Quando você diz: "Espírito Santo, ajude-me a conhecer Jesus", ele não vai desapontá-lo. Está sempre disposto a ajudar. Ouça o que diz o salmista: "Não me expulses da tua presença, nem tires de mim o teu Santo Espírito." (Salmo 51:11). Então, no instante seguinte, ele diz: "Devolve-me a alegria da tua salvação e sustenta-me com um espírito pronto a obedecer" (v. 12). O Espírito Santo está disposto.

Sempre que você disser: "Ajude-me", ele responde: "Ajudarei."

Quando você pede: "Ensine-me", ele responde: "Estou pronto."

E quando você diz: "Ajude-me a orar", ele fala: "Vamos começar."

Ele está bem ali, gerando em você o *desejo* de orar. Está encorajando-o por trás da vontade de falar ao Pai e ao Filho. Paulo escreveu essas poderosas palavras: "Por isso, eu lhes afirmo que ninguém que fala pelo Espírito de Deus diz: 'Jesus seja amaldiçoado'; e ninguém pode dizer: 'Jesus é Senhor', a não ser pelo Espírito Santo" (1 Coríntios 12:3). Quando você canta "Ele é o Senhor" e realmente sente isso, é uma prova de que o Espírito Santo está dentro de você. Está usando-o para proclamar que Jesus Cristo é o Senhor do mundo inteiro!

No momento em que confessa a morte, o sepultamento e a ressurreição de Cristo, você já passou pelo teste do Espírito. As Escrituras dizem: "Vocês podem reconhecer o Espírito de Deus deste modo: todo espírito que confessa que Jesus Cristo veio em carne procede de Deus, mas todo espírito que não confessa Jesus não procede de Deus" (1 João 4:2,3). Ele diz: "Dessa forma reconhecemos o Espírito da verdade e o espírito do erro" (v. 6).

Sua salvação está bem no centro da obra do Espírito Santo. Na verdade, é ele que realmente vai adotá-lo na família de Deus. Paulo escreve: "Porque todos os que são guiados pelo Espírito de Deus são filhos de Deus. Pois vocês não receberam um espírito que os escravize para novamente temerem, mas receberam o Espírito que os adota como filhos" (Romanos 8:14,15).

E aqui é como você expressa isso. Por ele, "clamamos: 'Aba Pai'. O próprio Espírito testemunha ao nosso espírito que somos filhos de Deus. Se somos filhos, então somos herdeiros; herdeiros de Deus e co-herdeiros com Cristo, se de fato participamos dos seus sofrimentos, para que também participemos da sua glória" (v. 15-17).

Colocado para adoção

O Espírito olhava para você e via um órfão. Ele falou: "Vou adotá-lo." Ele é seu Pai. Por quê? Porque é o Espírito do Pai. Lembra-se da música de Dottie Rambo, "Holy Spirit, you are welcome in this place" [Espírito Santo, você é bem-vindo neste lugar]? Ela foi inspirada a escrever "Omnipotent Father of mercy and grace" [Pai onipotente de misericórdia e graça]. Isso é o Espírito.

Sem ele, é impossível aproximar-se do Pai. Paulo lhe afirma: "Por meio dele tanto nós como vocês temos acesso ao Pai, por um só Espírito" (Efésios 2:18). Por meio de quem? Por meio de Jesus, tanto judeus quanto gentios podem se aproximar de Deus pelo Espírito Santo.

Mas aqui está a parte mais animadora de tudo. *A Bíblia diz que o Espírito Santo lhe foi dado como uma garantia da vida eterna*. "Quando vocês ouviram e creram na palavra da verdade, o evangelho que os salvou, vocês foram selados em Cristo com o Espírito Santo da promessa, que é a garantia da nossa herança até a redenção daqueles que pertencem a Deus, para o louvor da sua glória" (Efésios 1:13,14).

Não há dúvida sobre isso. O Espírito Santo está preparando você para o Céu. Se estiver convencido de que ele está vivendo dentro de você, então nunca deve questionar se está renascido. Nunca deve questionar se o Céu é o seu lar. E nunca deve questionar se terá a vida eterna.

Deixe-me explicar com outras palavras. Se amanhã de manhã você entrar em uma loja e pegar algumas roupas e um par de sapatos, mas não tiver todo o dinheiro, você pode dar uma entrada e parcelar o resto. Pode dizer: "Venho pegar na semana que vem." Seu nome está na fatura e você leva um recibo para casa. Depois, na semana seguinte, pega a mercadoria.

É exatamente o que Jesus fez quando veio e lhe deu o Espírito Santo. A única diferença é que ele pagou o preço total no Calvário. Mas eis o que ele falou: "Paguei por sua vida, mas também paguei uma prestação inicial que garante que ela é minha." Ele enviou o Espírito Santo. E se você o tem, está a caminho da glória.

Quando Cristo retorna, ele o pega e o leva para casa. Vale a pena gritar isso. Você pertence ao Senhor. É por isso que pode dizer na cara feia de Satanás: "Não me toque. Sou uma posse de Cristo!" E não tenha medo de falar a Palavra. Chute-o e ele fugirá de você.

Você tem o Espírito Santo. Um "depósito" na sua herança! Por que ele deu uma entrada? Paulo conta: "Cristo nos redimiu da maldição da Lei quando se tornou maldição em nosso lugar, pois está escrito: 'Maldito todo aquele que for pendurado num madeiro'" (Gálatas 3:13). E depois, escreveu essa maravilhosa verdade: nos redimiu para "que em Cristo Jesus a bênção de Abraão chegasse também aos gentios, para que recebêssemos a promessa do Espírito mediante a fé" (v. 14).

Como Cristo se tornou uma maldição, o Espírito foi dado como prometido.

Você precisa de alguma ajuda

A partir do momento em que você aceita Jesus como Salvador, é o Espírito que lhe dá a vontade, a força e o desejo de obedecer a Deus e de viver a vida cristã. Sem ele, isso é impossível.

O apóstolo Pedro nos fala: "Agora que vocês purificaram a sua vida pela obediência à verdade, visando ao amor fraternal e sincero, amem sinceramente uns aos outros e de todo o coração" (1 Pedro 1:22).

A razão pela qual as pessoas — mesmo os cristãos — fracassam é porque dependem de sua própria força. Não se pode obedecer a Deus dizendo: "Vou fazer isso sozinho." Quantas vezes você disse: "Vou orar", mas não vai. Ou "Vou ler a Palavra", mas se esquece. Por quê? Porque estava dependendo da sua mente. Você dependia da carne e ela o levará sempre ao fracasso.

Ele lhe dará força e vida, mas o Espírito lhe dará algo a mais que é igualmente importante. *Ele lhe dará descanso.* Isaías disse:

Como o gado que desce à planície,
foi-lhes dado descanso pelo Espírito do Senhor.
Foi assim que guiaste o teu povo
para fazer para ti um nome glorioso.
(Isaías 63:14)

Logo depois que comecei a pregar o Evangelho, conheci David DuPlessis. Ele era conhecido como "Sr. Pentecostes" como resultado de suas apresentações do Espírito Santo aos líderes religiosos do mundo. Era um carismático antes de qualquer um saber o que essa palavra significava.

Estava caminhando pelo mesmo corredor que esse homem ungido em uma conferência em Brockville, em Ontário, quando reuni coragem para pará-lo e fazer uma pergunta. Nervoso, perguntei: "Dr. DuPlessis, como posso verdadeiramente agradar a Deus?"

O velho, que agora está com Jesus, parou, colocou sua maleta no chão, apontou seu dedo em meu peito e me empurrou contra a parede. Eu certamente não esperava isso daquele frágil pregador. Tudo que eu disse foi: "Como posso agradar a Deus?" e ele me prendeu contra a parede. Então ele disse duas palavras que nunca esqueci. Ele falou: "Não tente!" Pegou sua maleta e caminhou pelo corredor.

Eu o alcancei e disse: "Dr. DuPlessis, não entendo."

Ele se virou calmamente e disse: "Jovem, não é a *sua* capacidade. *É a capacidade dele em você.*" Depois falou: "Boa-noite" e entrou em seu quarto.

Quando entrei em meu quarto, ainda estava confuso. Deitei em minha cama e pensei sobre aquelas palavras. "Não é a *sua* capacidade. *É a capacidade dele em você.*"

Naquele momento, mal sabia o que orar, mas o Espírito começou a esclarecer a verdade daquelas palavras para mim. Como posso agradar a Deus? Entregando-me! Nem mesmo tentando agradá-lo. Era como o Sr. Pentecostes disse. O Espírito Santo vai fazer a obra. Não é a minha força; é a dele. De outro modo, eu poderia me gabar de minhas próprias realizações.

Toque de Deus

Quando você vir Jesus face a face, não vai dizer: "Senhor, veja o que eu fiz." Vai dizer: "Senhor, veja o que você fez com esse homem miserável." Comece a praticar isso. Abra bem os braços e diga: "Espírito do Deus vivo, quero viver para Jesus hoje. Entrego-lhe minha mente, minha emoção, minha vontade, meu intelecto, meus lábios, minha boca, minhas orelhas e meus olhos — use-os para a glória de Deus."

Quando acordo e faço esse tipo de oração, a unção flui por mim como um oceano na maré alta. No momento em que me entrego completamente, Deus começa a fluir pelo meu ministério. Nada menos do que isso.

Muitas vezes eu me perguntei por que, em meus próprios encontros, o Espírito me direciona com tanta frequência para a cura. E me pergunto por que meu ministério tem sido acompanhado por pessoas que caíram sob o poder do Espírito Santo. Mas quando olho para os resultados dos encontros, vejo que toda manifestação do Espírito tem um propósito: levar as pessoas a Cristo.

É uma demonstração de que Deus está vivo, de que ele ainda "se move" na vida das pessoas. Já vi milhares de pessoas literalmente caírem sob o poder do Espírito e acredito que eles sentem apenas um pequeno toque do poder de Deus. Mas isso demonstra a impressionante força do Todo-Poderoso e leva muitas pessoas ao Salvador.

Ser curado ou até mesmo "morto no Espírito" não é um pré-requisito para o Céu. Só há uma porta — Cristo, o Senhor. Nunca desvie sua atenção do objetivo do Espírito na Terra. Ele é o Espírito do Pai e o Espírito do Filho, levando as pessoas a confessarem que Cristo é o Senhor.

Quando comecei meu ministério, nunca parei de me espantar com o poder do Espírito Santo. Ele é gentil, mas poderoso.

> A relva murcha e cai a sua flor,
> quando o vento do Senhor sopra sobre eles;
> o povo não passa de relva.
> (Isaías 40:7)

O Espírito Santo não é uma personalidade fraca.

Por ser um cristão jovem e um ministro novo, frequentemente ficava atrás e assistia ao trabalho do Senhor. Sabia que não era eu que estava tocando aquelas vidas. Era a soberania de Deus e a operação do Espírito. Eu apenas olhava maravilhado.

Mas acho que não senti tanto medo na vida quanto naquela noite de domingo, em abril de 1975. Lá estava eu, no púlpito de uma pequena igreja pentecostal, no lado oeste de Toronto, quando meus pais — Costandi e Clemence — entraram pela porta.

Meu coração quase parou e pude sentir o suor escorrer por minha testa. Meu pior pesadelo era mais tranquilo que isso. Estava petrificado — muito perplexo para rir e muito chocado para chorar.

O que eles devem estar pensando?

Eu já pregava há cinco meses, mas meus pais não tinham ideia. A tensão em nossa casa em relação ao Senhor já era ruim demais sem que eles soubessem disso. Mas viram um anúncio que o pastor havia colocado no jornal e foram até aquela pequena igreja.

Não conseguia nem olhar na direção deles. Mas no momento em que abri minha boca para pregar, a unção do Espírito Santo encheu aquele lugar. Foi tão forte. As palavras começaram a fluir de mim como um rio. Encontrei-me, na verdade, "ouvindo" o que o Espírito me levava a dizer.

Quando estava terminando minha mensagem, senti-me levado a começar a pregar para as pessoas que precisavam de cura. Pensei: *O que meu pai e minha mãe devem estar pensando de tudo isso?* Então, eles se levantaram e caminharam até a porta dos fundos.

— Jim — falei depois do culto —, você precisa orar!

Jim Poynter estava comigo no púlpito naquela noite e conhecia a seriedade da situação. Até pensei em passar a noite em sua casa para evitar um confronto inevitável.

Em vez disso, entrei no meu carro e comecei a dirigir pelas ruas de Toronto. Pensei: "Se chego em casa no meio da noite, meus pais estarão dormindo." Foi depois das duas da manhã que estacionei em silêncio na frente de casa e desliguei o motor.

Entrei nas pontas dos pés e destranquei a porta da frente bem devagar. Abri e fiquei espantado pelo que vi. Na minha frente, sentados no sofá, estavam minha mãe e meu pai.

Tinha sentido pânico quando os vi entrando na igreja, mas isso era muito pior. Meus joelhos começaram a tremer e procurei um lugar para me sentar.

Meu pai foi o primeiro a falar e ouvi incrédulo.

— Filho — ele disse suavemente, — como posso ser como você?

Estava ouvindo isso mesmo? Esse era o mesmo homem que tinha ficado tão ofendido com minha conversão? O pai que tinha proibido completamente que o nome de "Jesus" fosse falado em nossa casa?

— Realmente queremos saber — ele continuou. — Conte-nos como podemos ter o mesmo que você.

Olhei para minha querida mãe e vi lágrimas começando a escorrer por seu lindo rosto. Não conseguia conter minha alegria naquele momento. Comecei a chorar. E durante a hora seguinte daquela noite inesquecível, abri as Escrituras e guiei meus pais pelo conhecimento salvador do Senhor Jesus Cristo.

Meu pai perguntou: "Benny, você sabe o que me convenceu?" Ele me contou que quando comecei a pregar, ele se virou para minha mãe e disse: "Esse não é o seu filho. Seu filho não consegue falar! O Deus dele deve ser real." Ele não sabia que eu tinha sido completamente curado da gagueira.

A maravilhosa conversão de meus pais permitiu que o Senhor literalmente se espalhasse pelo resto da família. Henry apareceu e foi salvo. Meu irmão mais novo renasceu. Depois aconteceu com Chris. Se você já ouviu falar em "salvação de um lar", foi isso!

O lar dos Hinn foi transformado em um "Paraíso na Terra!" E a mudança não foi temporária. Foi uma obra *permanente* do Espírito. Hoje, Chris, Willie, Henry, Sammy e Mike estão totalmente envolvidos no ministério. Mary e Rose são cristãs comprometidas e vivem para o Senhor. E Benny? Bem, você sabe o que tem acontecido a ele.

O mais importante primeiro

Assim como o Espírito Santo tocou minha vida e levou meus pais a Cristo, ele quer o mesmo para você. A maior obra do Espírito não é levá-lo a algum tipo de êxtase celestial na Terra. Isso pode acontecer, mas seu objetivo é eliminar o pecado e levar as pessoas para Jesus.

Durante a leitura deste livro, você pode ter dito: "É isso que quero! Quero ter um maravilhoso relacionamento pessoal com o Espírito Santo!" Mas está pronto para isso? O que aconteceu comigo na noite em que o Espírito entrou no meu quarto não foi o primeiro passo. Começou muito antes. Você precisa colocar as coisas mais importantes na frente e subir cada degrau na sua escada espiritual.

Meu amigo, se você nunca pediu a Cristo para entrar no seu coração, agora é o momento. É o passo mais importante que vai dar. Neste momento, diga: "Jesus, confesso que sou um pecador. Acredito que você é o Filho de Deus e que derramou seu sangue precioso na cruz por mim. Perdoe meu pecado. Purifique meu coração de toda a injustiça. Agradeço por salvar-me agora. Amém."

Se você falou essa oração do fundo do seu coração, está pronto para começar uma nova vida no Espírito. E todo dia, enquanto ora, leia a Palavra de Deus e conte aos outros sobre seu amor, você sentirá a orientação animadora de Deus.

Cheguei à conclusão de que sou totalmente dependente do Espírito Santo. Ele é tudo que tenho. Ele é tudo que você tem. Jesus lhe prometeu e Deus o enviou para que você tenha conhecimento, poder, comunhão e confraternização. Ele vai ungi-lo, ajudá-lo, inspirá-lo, confortá-lo, dar-lhe descanso, liderá-lo e guiá-lo, ajudá-lo a orar e muito mais.

Ele está esperando para começar um relacionamento com você que mudará sua vida para sempre. Mas cabe a você fazer o convite.

Quando o sol sair amanhã, ele vai querer muito ouvir você dizer: "Bom dia, Espírito Santo."

Epílogo

Dez anos depois

Quando *Bom dia, Espírito Santo* foi publicado, há uma década, quem poderia ter imaginado o que aconteceria durante os dez anos seguintes? Avanços tecnológicos e invenções impressionantes trouxeram mudanças radicais a nosso mundo em tantas áreas, inclusive comunicações, ciências médicas, negócios e indústria, instituições financeiras, transporte e muito mais. Essas mudanças trouxeram conveniência e conforto a milhões e, mais importante, forneceram as ferramentas para o corpo de Cristo proclamar a mensagem do Evangelho por todos os cantos da Terra, como nunca antes.

Os últimos dez anos também trouxeram mudança e crescimento para os Ministérios Benny Hinn. Como o Senhor continuou a abrir cada vez mais portas com novas oportunidades, a sede do ministério se mudou de Orlando para Dallas-Fort Worth Metroplex, em 1999. Situada em um grande centro do país, a sede está equipada para servir a parceiros e amigos do ministério de forma eficiente, enquanto, ao mesmo tempo, está estrategicamente localizada para ministrar com eficácia a partir de uma localização central.

Desde aquela primeira publicação de *Bom dia, Espírito Santo*, tivemos incríveis novas oportunidades para o ministério! A audiência do programa de televisão diário *This Is Your Day!* tem se expandido para incluir transmissões em mais de 190 países por todo o mundo. O Health & Healing Channel foi lançado no fim de 2001 e oferece programação cristã clássica e contemporânea sobre o tema da cura, bem como uma visão única e moderna das principais autoridades de hoje quando se fala em saúde, nutrição e boa forma. Além das cruzadas milagrosas nacionais e internacionais, esse ministério também começou a realizar cultos especiais para a juventude de nosso país. Sou muito grato e humilde pelo que o Senhor fez, e toda a glória do que foi obtido pertence a ele. Os maiores pregadores e profetas do passado falaram e desejaram esses dias, em que homens, mulheres e crianças de todo o mundo repentinamente começariam a se virar para Deus em números nunca antes vistos, e está acontecendo bem diante de nossos olhos! Que tremenda oportunidade para os cristãos de hoje.

Agora, mais do que nunca

Estou convencido, quando olho para estes últimos dez anos desde a primeira publicação de *Bom dia, Espírito Santo*, que estamos caminhando para um dos melhores momentos da igreja de todos os tempos. Os cristãos simplesmente não devem perder essa oportunidade de contar ao mundo e àqueles que estão procurando respostas que Jesus é *A Resposta!* Na verdade, se falharmos, acredito que Deus nos responsabilizará.

Com tudo isso em mente, no décimo aniversário da publicação deste livro, estou convencido de que *agora*, mais do que nunca, dois elementos são essenciais na vida de todo cristão: um, *a unção renovada e diária do Espírito Santo* e, dois, *matar o ego a cada dia.* Deixe-me compartilhar uns pensamentos rápidos sobre cada uma dessas necessidades.

Necessidade absoluta número um

Agora, mais do que nunca, precisamos da unção renovada do Espírito Santo

Uma das promessas mais animadoras e transformadoras na Bíblia é que a unção do Espírito Santo está disponível para todos nós:

> Então Pedro lhes disse: "Arrependam-se, e cada um de vocês seja batizado em nome de Jesus Cristo para perdão dos seus pecados, e *receberão o dom do Espírito Santo. Pois a promessa é para vocês, para os seus filhos* e para todos os que estão longe, para todos quantos o Senhor, o nosso Deus, chamar" (Atos 2:38,39, ênfase nossa).

Nessa parte das Escrituras, o apóstolo Pedro afirma que quando recebemos Cristo, o poder do Espírito Santo é nosso. Para usar as palavras de hoje, esse dom precioso é parte do "pacote" total. *O poder do Espírito Santo está incluído na herança do crente.*

Como "a promessa é para você e seus filhos", todo cristão do mundo deve entender que o poder de Deus não nos pertence apenas, mas também a nossos filhos. E a promessa do Espírito Santo é para "todos os que estão longe, para todos quantos o Senhor, nosso Deus, chamar". *Todo crente está incluído!*

Eis a questão: você já considerou por que essa promessa do preenchimento do Espírito Santo é tão vital? Estava pensando sobre isso recentemente e tive essa percepção repentina: *Como seria a vida sem o Espírito Santo?* Rapidamente fiz uma lista de pensamentos. Sem uma unção renovadora e diária do Espírito Santo, há sete coisas impossíveis:

1. *É impossível conhecer a Deus sem o Espírito Santo.* Em Efésios 5:18, descobrimos que devemos "nos encher com o Espírito". Não é uma sugestão, é um mandamento! Na verdade, o Espírito Santo "testemunha ao nosso espírito que somos filhos de Deus" (Romanos 8:16). A medida do "conhecimento" exige uma unção diária do Espírito Santo.

2. *É impossível entender o reino de Deus sem o Espírito Santo.* Jesus disse: "O Reino de Deus está entre vocês" (Lucas 17:21). Paulo, o apóstolo, ensinou que o reino de Deus é "justiça, paz e alegria no Espírito Santo" (Romanos 14:17). Deus opera de forma diferente do homem. Como cristãos do Reino, somos chamados a trabalhar sob um novo conjunto de pensamentos, padrões e escolhas. Somente a unção renovada do Espírito Santo pode nos ajudar a entender essa dimensão espiritual que está escondida do mundo.

3. *É impossível saber a verdade sem o Espírito Santo.* Jesus falou sobre o Consolador que "*ensinará todas as coisas*" (João 14:26). As Escrituras também nos dizem que "*o Espírito é a verdade*" (1 João 5:6) e que o Espírito Santo "*os guiará a toda a verdade*" (João 16:13). Cair no erro é possível sem os ensinamentos constantes do Espírito Santo. O melhor e mais inteligente dos cristãos, mesmo aquele que conhece a Bíblia de ponta a ponta, pode se equivocar se o relacionamento diário daquela pessoa esfriar.

4. *É impossível ficar livre do pecado sem o Espírito Santo.* A Palavra de Deus declara que o Espírito Santo nos mantém "*livre da lei do pecado e da morte*" (Romanos 8:2). Indivíduos que não possuem um relacionamento diário com o Espírito de Deus se abrem para a fraqueza e caem nos pecados do passado. O pecado não deveria ter nenhum poder sobre os cristãos, mas aqueles que tentam viver a vida cristã sozinhos estão destinados ao fracasso. Talvez você possa pensar em alguém que já amou a Jesus, que cantou todos os hinos de louvor, mas agora está no mundo fazendo as mesmas coisas que antes implorava a Deus para afastar dela. Nunca devemos evitar a unção e a proteção do Espírito Santo. Devemos buscar o direcionamento diário do Espírito Santo, permitindo que sua unção nos toque a cada dia para que possamos ficar livres do poder do pecado.

5. *É impossível orar com poder sem o Espírito Santo.* De acordo com Romanos 8:26, o Espírito Santo intercede por nós. Oramos no Espírito Santo porque geralmente não sabemos

orar e ele é fiel ao levar nossas necessidades perante o trono de Deus. O Espírito Santo nos ilumina durante a oração, que nunca conseguiríamos entender sem seu direcionamento. Nunca paro de me encantar com cristãos que recebem revelações maravilhosas durante orações para realizar invenções, músicas, negócios e avanços. É muito frequente não darmos importância a essas maravilhosas oportunidades. Precisamos de sua presença tanto para sobreviver quanto para ter sucesso.

6. *É impossível ter uma vida cheia de fé sem o Espírito Santo.* A fé não é algo produzido mentalmente. Vem do coração. E como vem do coração, é do Espírito. Ele é a Fonte da fé. Sem ele, tendemos a usar nosso próprio julgamento, sentidos e planos imperfeitos — então perdemos suas promessas. De acordo com 2 Coríntios 5:7, o testemunho do Espírito Santo nos ajuda "*porque vivemos por fé, e não pelo que vemos*".

7. *É impossível viver uma vida cristão estável e tranquila sem o Espírito Santo.* Devemos estar "arraigados e alicerçados em amor" (Efésios 3:16,17). Algo menos que uma unção diária do Espírito Santo nos leva à fraqueza e ao desequilíbrio. Não importa quão ocupado você está, se negligenciar o tempo com Deus, haverá consequências. Você deve procurar o Senhor constantemente e nunca se basear nas experiências do passado (ver Lamentações 3:22-25).

Não temos de viver sem o Espírito Santo ou as impossibilidades de ser negligente com ele! Com uma unção renovada do Espírito Santo a cada dia, podemos desfrutar de uma vida cheia de possibilidades. Na verdade, se aprendi algo na vida é isso: *precisamos do poder do Espírito Santo a cada hora de cada dia. Deus não nos dá "restos"*. Como Deus forneceu o maná para alimentar e sustentar os filhos de Israel no deserto, o Pai nos oferece aquela preciosa unção do Espírito Santo que se renova a cada dia, dando-nos força para viver de uma forma cristã.

Como já foi mencionado, estou mais convencido agora do que há dez anos, quando este livro foi escrito, que não dá para viver *hoje* baseado no que o Espírito Santo fez para você *ontem*. Agradeça a Deus pelo passado, por cada passo milagroso que o trouxe até onde você está hoje. No entanto, o que aconteceu na semana passada, no mês passado ou no ano passado, não poderá sustentá-lo hoje. Somente clamando por sua herança da unção diária do Espírito Santo é que você conseguirá superar os desafios e realizar grandes coisas para Deus.

Necessidade absoluta número dois

Agora, mais do que nunca, precisamos deixar o ego morrer

Com a necessidade de um preenchimento diário do Espírito Santo e do toque precioso de sua unção, estou mais convencido hoje do que nunca que Deus está chamando cada cristão para uma vida de total compromisso e dedicação. *Deixar o ego morrer absolutamente é a única forma de chegar à vitória e ao sucesso total a serviço do Senhor Jesus Cristo.*

Você já percebeu que raramente ouvimos mensagens sobre santidade e santificação? Talvez seja porque há grupos que ensinaram esse assunto de uma maneira tão legalista que acabaram afastando as pessoas da igreja. Esse tipo de legalismo não é o que estou pontuando. Em vez disso, acredito que esses princípios bíblicos de santidade e entrega estão no centro de tudo que somos hoje e seremos no futuro.

Quão importante é a mensagem de deixar o ego morrer? A Bíblia, de uma ponta a outra, mostra que essa é a única forma de ter uma vida vitoriosa em Cristo. Como Paulo escreveu: "*Todos os dias enfrento a morte*" (1 Coríntios 15:31) e passou muito tempo ensinando à igreja como matar o ego. Uma das passagens mais reveladoras é Romanos 6:1-8:

> Que diremos então? Continuaremos pecando para que a graça aumente? De maneira nenhuma! Nós, os que morremos para o pecado, como podemos continuar vivendo nele? Ou vocês não sabem que todos nós, que fomos batizados em Cristo Jesus, fomos batizados em sua morte? Portanto, fomos sepultados com ele na morte por meio do batismo, a fim de que, assim como Cristo foi ressuscitado dos mortos mediante a glória do Pai, também nós vivamos uma vida nova. Se dessa forma fomos unidos a ele na semelhança da sua morte, certamente o seremos também na semelhança da sua ressurreição. Pois sabemos que o nosso velho homem foi crucificado com ele, para que o corpo do

> pecado seja destruído e não mais sejamos escravos do pecado; pois quem morreu, foi justificado do pecado. Ora, se morremos com Cristo, cremos que também com ele viveremos.

Em muitos momentos o Senhor vincula a necessidade de matar o ego à capacidade de servi-lo. Autossacrifício lhe dará vitória sobre Satanás, mas autossalvação ou viver para si dará a vitória a Satanás. É por isso que Jesus falou muito sobre vencer o ego. Salvar-se, manter-se e proteger-se acaba permitindo que o demônio tenha a vitória final. Você simplesmente não consegue servir ao Senhor de forma eficiente e se preservar ao mesmo tempo.

O que significa isso? Mais importante, como você pode matar o ego enquanto procura ser fortalecido pelo Espírito Santo — agora, mais do que nunca?

Primeiro de tudo, morrer para o ego significa entregar-se completamente ao Senhor. *Completamente!* Geralmente chamamos isso de "arrependimento", que se traduz em como se afastar do pecado e se oferecer no altar para Deus fazer o que quiser. É difícil para os humanos entenderem, e ainda mais difícil fazer isso de forma voluntária. Mas é necessário.

No Evangelho de João (12:24,25), Jesus falou da chegada de sua morte na cruz e depois ensinou como seus seguidores deveriam entregar-se completamente:

> Digo-lhes verdadeiramente que, se o grão de trigo não cair na terra e não morrer, continuará ele só. Mas se morrer, dará muito fruto. Aquele que ama a sua

> vida, a perderá; ao passo que aquele que odeia a sua vida neste mundo, a conservará para a vida eterna.

Por que isso é tão importante? As únicas pessoas que possuem autoridade genuína sobre Satanás são aquelas que escolheram ir para a cruz, para terem o ego e o pecado amarrados a ela e deixarem morrer o ego. Matar o ego é a *única* forma de ser vitorioso sobre o pecado e o momento em que você se entrega completamente à cruz, você deixa Satanás aterrorizado!

Quando Jesus falou essas palavras aos seus seguidores, estava na verdade falando: "O que aconteceu comigo vai acontecer com você." A vitória real significa segui-lo até a cruz, entregando-se completamente. Significa morrer para suas próprias ambições e desejos. Nada menos poderá funcionar.

Esse tipo de morte acontece no campo do Espírito. Claro que não pegamos literalmente um martelo e deixamos que nossas mãos e pés sejam pregados em uma cruz. Isso acontece num plano muito mais profundo do que a dor física. Espiritualmente, devemos oferecer o "velho homem" para ser sacrificado. Foi o que Paulo falou em Romanos 6:6, quando escreveu: "Sabemos que o nosso velho homem foi crucificado com ele, para que o corpo do pecado seja destruído e não mais sejamos escravos do pecado."

Somente vivendo em total dependência em relação ao senhor e pregando a carne na cruz, você pode viver de uma forma que o pecado não possa tocá-lo ou controlá-lo.

Como seria glorioso viver uma vida sem pecado. É possível, pois Jesus não teria nos ensinado a fazer algo que nunca poderíamos fazer. Sua vida nos deu um exemplo e ele deu instruções claras sobre como viver uma vida de santidade. E quando você se entrega completamente a ele, sua vida nunca mais será a mesma. Os outros vão perceber e vidas ao seu redor serão tocadas pela eternidade quando virem as mudanças em você.

O objetivo final de Satanás é uma vida sem a cruz, e ele quer muito que você caminhe na direção contrária. Desde seu primeiro encontro com o homem, no Jardim do Éden, ele vem tentando nos enganar para vivermos para o ego e nos rebelarmos contra as leis de Deus.

Hoje, ele ainda promete reinos, poder, prazer, riquezas e muito mais. "Você não precisa morrer", ele vai dizer, assim como tentou Jesus, da forma que está registrada em Mateus 4, durante a Grande Tentação. "Posso entregar-lhe todos esses reinos", afirmou o demônio, "e você não precisa passar pelo Calvário. Tudo que precisa fazer é se curvar perante mim. Depois pode ser o rei sem passar pelo sacrifício da cruz."

E se você decide se crucificar, o combate começa de verdade. O diabo e seus demônios farão tudo que estiver ao alcance deles para evitar que você faça o que quiser. Somente o poder da cruz ensanguentada ameaça as forças do inferno. Alguns cristãos não se preocupam com Satanás, principalmente aqueles que não entendem a guerra espiritual, porque não são uma ameaça a seu reino. Por outro lado, Satanás conhece a destruição que você pode fazer em seu reino infernal no momento em que disser: "Senhor, eu me entrego completamente a você."

Veja, no momento em que se entregar completamente a Deus, permitindo que seus pecados e seus desejos sejam amarrados na cruz, você aterrorizará o reinado da escuridão! O inimigo sabe que você está batendo a porta na cara dele. O demônio percebe que você está se alinhando com o Pai, com o Filho e com o Espírito Santo, bem como suas hostes angelicais.

Satanás simplesmente não pode vencer quando você mata o ego. O medo se espalha entre suas forças quando um cristão lê e segue o Salmo 118:27: "Juntem-se ao cortejo festivo, levando ramos até as pontas do altar." Significa matar o ego diariamente. Significa permitir que o velho homem seja sacrificado no altar. *Continuamente!* O mais importante: é o único lugar em que Satanás não pode tocá-lo!

As palavras de Jesus para seus discípulos em Mateus 16 descrevem uma troca bastante incrível chamada *santificação,* a palavra que usamos hoje significando uma participação cada vez maior em sua morte. É um preço que poucas pessoas estão dispostas a pagar.

> Se alguém quiser acompanhar-me, negue-se a si mesmo, tome a sua cruz e siga-me. Pois quem quiser salvar a sua vida a perderá, mas quem perder a sua vida por minha causa, a encontrará.
> (Mateus 16:24,25).

Jesus afirmou explicitamente: "Perca sua vida e ganhe a minha." *Que troca milagrosa!* Nós entregamos nossos "farrapos sujos" e nossas injustiças, e em troca ele nos dá a vitória sobre o pecado, mesmo assim os humanos geralmente decidem evitar fazer a troca porque não valorizamos o que Jesus está oferecendo. Oh, se conhecêssemos a liberdade e o poder que vem do sacrifício total e da morte do ego.

A simples verdade é que sem a morte do ego não existe vitória. As únicas pessoas que possuem autoridade genuína sobre o demônio são aquelas que escolheram o caminho da cruz e da morte diária do ego.

Tempos históricos... Grandes oportunidades

Hoje, mais do que nunca, Deus está tocando corações e trazendo as nações do mundo de volta para ele. O maior desafio diante de nós é: estaremos espiritualmente preparados e equipados para responder às necessidades daqueles que nos cercam e que estão buscando respostas em um mundo de incerteza crescente?

Oro para que *Bom dia, Espírito Santo* continue a ajudar a munir os leitores, como você, com uma compreensão maior daquele que foi enviado para lhe dar poder e autoridade para derrotar o inimigo. Acredito que o tempo nunca foi mais apropriado para esse ensinamento, porque estes são tempos de oportunidades sem precedentes para servir ao Senhor divulgando o Evangelho.

Vivemos dias históricos. Servimos a um Deus cujo desejo é nos usar, seus servos, para levar esperança aos desesperançados, para sempre "triunfar em Cristo" (2 Coríntios 2:14) enquanto travamos uma guerra espiritual.

Que o Senhor possa ajudá-lo para perder sua vida e ganhar a dele. Quando você elimina suas próprias ambições e morre diariamente para si mesmo, pode entrar em um relacionamento mais profundo com o Espírito Santo todos os dias, para caminhar no poder e na unção do Espírito Santo — *agora mais do que nunca!*

Guia de estudo e discussão

Capítulo 1: "Posso realmente conhecê-lo?"

1. O Espírito Santo tem sido uma terceira pessoa distante da Trindade para você? O que você deve fazer para trazê-lo para sua vida?
2. Como são as pessoas cheias do Espírito Santo? São diferentes de alguma forma? Como você as reconheceria?
3. Você já testemunhou uma cura ou outro milagre atribuído ao Espírito Santo? Qual é a sua definição de milagre?
4. Qual é a missão do Espírito Santo entre nós?
5. Se você quer que a Bíblia seja viva em você, o que deve fazer?

Capítulo 2: De Jaffa aos confins da Terra

1. Você fala com o Senhor nas suas orações como se ele fosse um bom amigo que passou pela sua casa? Pratique a oração espontânea e aberta agora.
2. Você precisa sofrer por Deus para ser levado a sério? Por que sim ou por que não?
3. Como você interpreta o sonho do autor de ser um prisioneiro acorrentado e obrigado a descer escadas infinitas?
4. No mesmo sonho, qual é o simbolismo da aparência do anjo e as correntes caindo das mãos e pés do autor?
5. Deus usa sonhos e visões para enviar mensagens aos homens e mulheres "comuns"? Descreva um sonho que parecia trazer uma mensagem para você.

Capítulo 3: "Tradição, tradição"

1. Qual é o plano de salvação de Deus para você?
2. Você pediu para Jesus ser o Senhor da sua vida? Já o aceitou publicamente como seu Salvador pessoal? Se for assim, aleluia! Se não, o que o impede de fazer isso?
3. Já foi ridicularizado por causa de suas crenças cristãs? Como o seu embaraço ou

humilhação se comparam com o sacrifício de Cristo na cruz, morrendo por você?

4. Se os membros da sua família rejeitam suas crenças cristãs, o que você pode fazer? Liste três coisas.
5. Existe uma presença física do Espírito Santo que pode ser vista e sentida além de uma presença espiritual? Quais seriam os sinais dessa presença?
6. Você acredita que o Espírito Santo pode curar qualquer aflição? Qual é a prova disso nas Escrituras?

Capítulo 4: Face a face

1. Você está pronto para conhecer o Espírito Santo pessoalmente? Como pode fazer isso?
2. O que significa realmente "ser preenchido pelo Espírito Santo"?
3. Faça uma lista das formas pelas quais você poderia pensar no Espírito Santo como um amigo pessoal.
4. Onde está o Espírito Santo: no Céu ou na Terra? Qual é a base nas Escrituras para sua resposta?
5. Explique o Arrebatamento. Qual é o significado para você?
6. Por que o Espírito Santo é chamado assim?

7. O Espírito Santo é aquele que _____, que _____ comigo.
8. É apropriado pensar no Espírito Santo como o grande professor? Por quê?
9. Segundo o autor, qual é o maior pecado contra o Espírito Santo?

Capítulo 5: Qual voz você ouve?

1. Como você é dirigido pelo Espírito?
2. Na Bíblia, quando aparece pela primeira vez o Espírito Santo?
3. Defina o sopro de vida que fluiu através do corpo de Adão.
4. O que temos em comum com Adão, espiritualmente falando?
5. Você concorda ou discorda da afirmação de que "o Espírito Santo é Deus"? Explique sua resposta.
6. Qual é a prova nas Escrituras de que o Pai, o Filho e o Espírito Santo são um só?
7. As pessoas terrenas não têm nenhuma ideia das coisas do Espírito. Por que acontece isso?
8. Releia os sete tipos de comunhão com o Espírito Santo. Quais passos você pode tomar para ativá-los em sua vida?

Capítulo 6: Espírito, alma e corpo

1. Complete esta sentença: "Quero caminhar com o Espírito Santo, mas não posso porque..."
2. Como a sua igreja vê o Espírito Santo? Como uma influência é ativa ou passiva em nossa vida? Das duas formas, qual é a prova dessa crença nas Escrituras?
3. Qual é a forma e substância de Deus?
4. Explique o que o autor quer dizer quando fala que o Espírito Santo tem mente própria.
5. O que é o templo de Deus como descrito por Paulo no Novo Testamento?
6. O Espírito Santo deveria ser louvado? Por que sim ou por que não?
7. O que significa entristecer o Espírito? Como fazemos isso? Como poderíamos evitar?

Capítulo 7: Vento para suas velas

1. Descreva em suas próprias palavras o que é uma vida cheia de Espírito.
2. Quais são as quatro funções principais do Espírito Santo quando ele está operando em nossa vida?
3. Qual é a resposta do autor para pessoas que lhe perguntam: "Estou preenchido com o Espírito Santo?"

4. Em que ponto o Espírito Santo se torna disponível para nós pessoalmente?
5. Achou difícil ou impossível se entregar ao Senhor? Tente entender com precisão o que o impede.
6. Escreva os sete passos para uma oração significativa em um pequeno pedaço de papel. Carregue-o com você e use-o quando orar. Tente incluir todos os sete passos até se tornarem automáticos.
7. Se suas orações incorporarem os sete passos, como evoluirá sua vida de oração?

Capítulo 8: Uma poderosa entrada

1. Você tem uma resposta em seu coração para a pergunta pessoal: o que Deus tem guardado para mim?
2. Como você pode encontrar a resposta para a pergunta anterior?
3. Qual é o grande desejo do Pai para nós?
4. Leia todo o livro dos Atos. Em suas próprias palavras, escreva o plano de Deus para nós.
5. Qual é o objetivo dos sinais que se seguem à presença do Espírito Santo?
6. O Espírito Santo é para todos? Ele está aqui hoje para você? Como sabe? Leia Atos 5:32; 10:44-46.

7. Qual é o fundamento e a autoridade para todos a obra que o Espírito Santo foi enviado para fazer?

Capítulo 9: Espaço para o Espírito

1. Qual é a mensagem mais ignorada da igreja hoje?
2. Os dons do Espírito Santo foram dados para usarmos hoje? Explique as razões de sua resposta.
3. O que o autor quer dizer quando fala: "Deus não é fraco — seu povo é"?
4. Explique a unção. Liste pelo menos cinco pessoas que a possuem.
5. Qual é o propósito da unção do Espírito?
6. Descreva como você pode crescer no Espírito.
7. Jesus dependia do Espírito Santo? De que forma e por que isso era necessário?
8. Qual é a prova nas Escrituras que você deve ter a vida eterna como Cristo tinha a vida eterna?

Capítulo 10: "A um sopro de distância"

1. Como você deve agir para receber conforto, paz e direcionamento do Espírito Santo?
2. Como o Espírito Santo responde às pessoas que pecam conscientemente?

3. Defina separadamente os papéis do Pai, do Filho e do Espírito Santo.
4. Como podemos caminhar junto com o Espírito?
5. Quando você pede ao Espírito de Deus que entre no seu coração, o que está fazendo?
6. Só é preciso cinco palavras para convidar o Espírito Santo a entrar na sua vida. Quais são elas?

Capítulo 11: "Por que você está chorando?"

1. Por que a blasfêmia contra o Espírito Santo não pode ser perdoada?
2. Leia Mateus 12:30-32. Como você pode ter certeza de que nunca vai blasfemar contra o Espírito Santo?
3. Como você sabe que o Espírito Santo ainda está com você?
4. Descreva o que significa "caminhar junto com o Espírito". Leia Romanos 8:1.
5. Nos próximos sete dias, trabalhe na memorização dos sete trabalhos do Espírito descritos por Paulo em Romanos 8. Escreva uma pequena lista de coisas boas que ocorrerão quando cada obra estiver manifesta em sua vida.

Capítulo 12: Céu na Terra

1. Você acredita na cura pela fé? Por que sim ou por que não? Se não, declare suas razões, não seus sentimentos ou emoções.
2. A quem o Espírito Santo promove por meio de suas obras? Você, Deus, a ele mesmo ou Jesus?
3. Qual é a fonte dos dons do Espírito Santo?
4. Como você sabe quando o *poder convicto* do Espírito Santo está operando na sua vida?
5. A Bíblia diz que o Espírito Santo lhe foi dado como uma garantia de _____.
6. Qual é o maior objetivo do Espírito Santo?
7. Você já pediu para o Espírito Santo entrar em sua vida? Pediu a Jesus Cristo para entrar em sua vida? Se não, pode fazer isso agora mesmo com esta oração: "Jesus, confesso que sou um pecador. Acredito que você é o Filho de Deus e que derramou seu precioso sangue na cruz por mim. Perdoe-me por meus pecados. Purifique meu coração de toda injustiça. Agradeço por me salvar. Amém."

Agradecimentos

Agradeço especialmente a minha querida esposa, Suzanne, por seu constante amor e apoio.

Agradeço a Neil Eskelin por sua consultoria e trabalho editorial na preparação deste manuscrito.

Também gostaria de agradecer a minha adorada mãe por suas orações, que são uma constante fonte de força e encorajamento. Meu reconhecimento também a Sheryl Palmquist por sua assistência editorial, a Nancy Pritchard, minha dedicada e leal secretária, meus irmãos e irmãs, e à minha dedicada equipe pela ajuda neste projeto.

Sobre o autor

Benny Hinn é um conhecido professor, evangelista curador e autor de sucesso. Seu ministério alcança a milhões toda semana por meio de seu programa de TV internacional de meia-hora diária, *This Is Your Day!* Dezenas de milhares se juntam em suas cruzadas pelos Estados Unidos e por outras partes do mundo para testemunhar a salvação e o poder de cura de Deus.

Hinn escreveu vários best-sellers, incluindo *Bom dia, Espírito Santo*, que vendeu mais de um milhão de cópias: *Tocou-me; A unção; Bem-vindo, Espírito Santo;* e *Caminho Bíblico para a Bênção.*

Hinn e sua esposa, Suzanne, moram no sul da Califórnia com seus quatro filhos — três meninas, Jessica, Natasha e Eleasha, e um filho, Joshua.

Este livro foi composto em Bembo 11/16 e impresso
pela Gráfica Ediouro sobre polen soft 70g/m² para a
Thomas Nelson Brasil em outubro de 2010.